OP 'N EILAND

OP 'N EILAND

Karel Schoeman

Human & Rousseau
Kaapstad Pretoria

Eerste druk 1971
Tweede druk 1975
Derde druk 1979
Vierde druk 1982
Vyfde druk 1984

ISBN 0 7981 0567 4

Uitgegee deur Human & Rousseau (Edms.) Bpk.
Roosstraat 3-9, Kaapstad
Glenwoodweg 60, Pretoria
Gedruk en gebind deur
Nasionale Boekdrukkery, Goodwood

Dit is 'n lang reis van Piréus na die eiland. Die skip is oud en lendelam en sukkel traag voort van hawe na hawe — ure lank vertoef dit soms terwyl matrose vir mekaar skreeu en die son op die see neerbrand, totdat die fluit uiteindelik weer blaas en die reis voortgesit word. Hawens, stadjies, eilande gaan verby, blou bergerye teen die lug, en dorpies waarvandaan mense in die verbygaan met spieëls of vensterglas heliograafboodskappe uitflits.

Die meeste passasiers is plaaslike mense op lang, onverklaarde reise van die een eiland na die ander met hulle goedkoop koffers, kiste en pluimvee, 'n hele menigte in die skeepsaal saamgedrom, waar hulle eet, drink, slaap, rusie maak en na die musiek van draagbare radio's luister.

Op die bodek is dit stiller. Jy kamp vir jou 'n hoekie af vir die reis in die skadu van 'n reddingsboot waar jou opgestapelde bagasie jou teen die wind beskut, en jy rig jou hier in: uitlanders doen dit altyd, al die vreemde jong kampeerders en wandelaars. Jy lees, jy slaap; jy het vir jou padkos saamgebring, brood en kaas, wyn en vrugte soos die boere. Jy kyk na die geskitter van die son op die see, na die eilande wat verbygaan en die hawestadjies in die verte van waar passasiers in dobberende bootjies gebring word om aan boord te gaan. Die nagte is koel, en jy lê op die dek en luister na die dowwe gedreun van die motor.

Ek kon geen Grieks praat nie, en van die mense wat gedurende daardie reis van tyd tot tyd na die bodek gekom het om lug te skep, het geeneen my aangespreek nie. Net een keer, kort na ons afvaart, het 'n seuntjie langs my kom hurk en my aangestaar. „*Do you speak English?*" het hy gevra, maar hy kon my antwoord nie verstaan nie en het daar geen ag op geslaan nie. Hy het 'n kewer gevang en met 'n stuk garing vasgebind, en nou het hy die dier telkens om my laat uitvlieg, nader en nader aan my gesig, totdat hy die garing weer stadig begin inwen. „*Do you speak English?*" het hy papegaaiagtig herhaal. Maar naderhand het sy speletjie hom verveel, en toe iemand hom roep, het hy weggehardloop en nie teruggekom nie.

Jy bereik die eiland in die vroeë oggend, voordat die hitte van die dag begin het. Daar is 'n deining onder die passasiers wat aan wal gaan; besittings word in dose en mandjies teruggeprop, bagasie bymekaargemaak en kinders geroep. Teen die relings drom almal saam om te kyk hoe die land in die sonlig opdoem en wit huisies en kerkies langs die berghange begin uitstaan, en dan dring die mense in uitbundige verwarring na vore. Jy baan egter vir jou 'n pad tussen mense en koffers, jy spring in die wagtende bootjie en laat jou na die land voer, na die huise en kerke en wit meule, die kafees en winkels met neergetrekte blindings, na die eiland waar almal uitgeloop het om die aankoms van die skip te sien.

Ek het Johan dadelik uitgeken toe ek aan wal stap: met sy gekleurde hemp en sandale was hy onmiskenbaar 'n uitlander, en hy het ook eenkant gestaan, op 'n afstand van die toeskouers en die mense wat gekom het om ander weg te sien of te begroet. Die passasiers wat die skip hier verlaat het, was almal Grieke, en ek het seker net so duidelik in hul midde uitgestaan met my knapsak en tas, maar tog het hy nie dadelik na my toe gekom nie, en geaarsel voordat ons na mekaar toe stap.

„Jy is Johan?" het ek gevra of gesê.

„Ja. Jy is Ruud?"

Ons het mekaar die hand gegee: daar was niks om by te voeg nie. Ek het weer my tas opgeneem. „Die bus vertrek oor 'n kwartier of so," het hy gesê. „As ons nou gaan, kan ons nog sitplek kry." Ek het hom met my bagasie gevolg na die pleintjie by die hawe. „Die skip is laat, hy's gewoonlik laat. Maar die bus vertrek ook nooit betyds nie. Het jy 'n goeie reis gehad?"

„Ek het een van my sandale verloor toe ek aan boord gaan. Ek sal iets moet kry om te dra."

Hy het blykbaar nie eers opgemerk dat ek kaalvoet is nie. „Jy kan vir jou hier sandale laat maak," het hy gesê. „Dit is baie goedkoop." Ek wou hom vra of ek dit nie dadelik kan laat doen nie, maar hy het voortgestap en nie gelyk asof dit hom interesseer nie, en ek wis ook nie wanneer daar 'n volgende bus is nie: miskien is dit ook die enigste na die gehuggie waar hulle bly. Ons het nog plek gekry op die agterbank, by 'n ou man met 'n kierie en 'n vrou met twee klein kinders, en Johan het by die venster uitgestaar terwyl ek sit en kyk hoe die bus vol word. Daar was allerhande boodskappe wat ek hom moes gee, groete van vriende en kennisse, nuus wat ek moes onthou om aan hom oor te dra, maar dit was nou nie die regte tyd daarvoor nie. Ek het een of ander banale opmerking gemaak, oor die weer of oor iets in die straat buite, en hy het opgekyk asof dit hom verbaas dat iemand hier langs hom hom in Afrikaans aanspreek. „Ja, o ja," het hy gesê, maar hy het my opmerking nie gehoor nie, en toe die bus vertrek, het dit gelukkig onmoontlik geword om bo die gerammel van die voertuig en die geskreeu van die ander passasiers nog 'n gesprek te voer.

Die bus was vol en daar het mense saamgepers in die paadjie gestaan. Tussen heupe en skouers deur kon ek net skielike, onsamehangende flitse sien van die land waardeur ons reis, bruin berge en kerkies en olyfbome onder 'n stralende son. Vir 'n gedeelte was die pad ongeteer, en dwarrelende stof het die uitsig belemmer; ons is teen mekaar aan geslinger, en die staande passasiers het gillend en laggend omgeval. Johan het egter afsydig gebly, en dit was die ou man aan die ander kant wat by elke halte stadig en nadruklik iets vir my sê in Grieks. Ek het geraai dat dit die name van die dorpies en gehuggies is wat hy vir my opnoem, en elke keer het ek geknik en geglimlag sonder om te weet of dit die regte reaksie is.

Mense het uitgeklim en ander het hul plekke ingeneem; die pad het gestyg in die berge en weer begin daal na die kus. Uiteindelik toe die bus by die see stilhou, het die ou man 'n naam gesê wat ek kon herken as dié waarheen ek die brief aan Johan geadresseer het.

Hierdie hawetjie was blykbaar die eindpunt van die rit, en al die oorblywende passasiers het uitgeklim, sodat ek tot die laaste moes wag om my bagasie uit te sleep na waar Johan buite op my staan en wag.

„Ons bly net hier teen die bult op," het hy gesê. „Dis die laaste huis in die dorp." Hy het reeds omgedraai om verder te stap toe hy besef hoe swaar ek dra en aarselend 'n gebaar in my rigting maak. Ek het die koffer ook sonder teëstribbeling aan hom afgestaan en hom gevolg langs die pad wat uit die dorpie uitklim bo die see. Hy het 'n entjie voor my uit gestap met lang treë teen die helling op sonder om om te kyk, terwyl ek stadiger agternakom met my knapsak, moeisaam oor die grondpad met my kaal voete. Ná die lang reis het teësin in alles skielik van my begin besit neem: die vreemde land, die taal wat ek nie ken nie, die hitte van die oggend, die hobbelrige pad, en my onbekende gashere. Ek kon egter nouliks dieselfde bus terughaal en wis nie wanneer daar weer 'n skip terug is na Piréus nie; dit was te laat, en ek moes verder gaan met wat ek in 'n oomblik van onbesonne geesdrif onderneem het.

Die pad het die dorpie verlaat en langs die heuwelhelling die ronding van die baai gevolg. Die huisies het hier yler verspreid gestaan, en toe uiteindelik, by 'n draai in die pad op die heuwelkruin, het Johan bly staan en gewag tot ek hom inhaal. Ons het met 'n voetpaadjie opgestap na 'n huis waar daar 'n vrou in die skadu van die druiweprieel met 'n kind speel. Johan het my koffer neergesit. „Dis Hilde," het hy gesê, en sy het opgestaan waar sy kniel en na my toe gekom om my te groet.

Die huis staan hoog bokant die see, sodat jy dit van ver kan sien wanneer jy met die pad aankom, en dit is ook sigbaar van die hawe en van die strand. Van die see kan die bote dit sien, helder op die hoogte, wanneer hulle soggens van die visvangs terugkom.

Dit is 'n boerehuis met drie kamers wat uitkom op 'n terras waar daar 'n wingerdprieel is en 'n put. Een kamer is die kombuis, alhoewel Hilde nie die outydse kolestoof gebruik nie: daar is 'n gasstofie en 'n sifdraadkas en rakke teen die muur, en 'n vat wat volgemaak word met emmers water uit die put. Die tweede kamer is waar Johan werk, en dit staan vol skilderye, rye doeke wat almal na die muur gekeer is. Die ander kamer is die slaapkamer, met 'n ouderwetse ledekant en gordyne van kleurige linne waaragter daar klere aan spykers opgehang is.

Hilde kniel op die grond in die gevlekte skadu en lig van die prieel en hou die kind aan een hand vas terwyl hy waggelend en onseker op sy voete na my toe kom, kraaiend van plesier. „Sy naam is Julien," sê sy. Johan staan en kyk. Ek hurk voor die kind en hy kom laggend na my toe; wanneer Hilde sy hand loslaat, val hy vooroor in my arms. Sy stoot haar hare weg uit haar gesig en kom dan om hom van my te neem. Dit is 'n fout, dink ek, om jou tussen onbekendes te waag, asof die bekendes nie erg genoeg is nie; om 'n vreemde land binne te reis waarvan jy nie eers die taal verstaan nie, omdat jy eenmaal foto's in 'n tydskrif gesien het en iemand jou op 'n partytjie 'n adres gegee het. Daar was geknakte suile gewees, en 'n koplose standbeeld van 'n vrou, marmer teen 'n blou lug in die sonskyn; dit, en, dowwer nog in die geheue, die herinnering aan wingerd-ranke en heuning en die gespeel van 'n herder op 'n fluit. Dan neem jy skielik 'n beslissing, een aand laat op 'n partytjie, en bevind jou op 'n sinlose reis na vreemde mense, op 'n eiland waar jy nie wil wees nie en in 'n huis waarheen jy jouself uitgenooi het. Mens maak altyd foute, en jy moet maar aangaan, so goed of so kwaad as wat jy kan. Jy probeer 'n gesprek begin, soek woorde, en bedink reeds die verskonings wat jy nog nodig sal kry vir jou vertrek.

Ek kon by Hilde 'n sekere terughoudendheid voel terwyl sy, kind op die arm, my wys waar ek my koffers kan neersit en my goed uitpak, waar sy vir my handdoeke uitgehang het en waar ek my kan was. In die omstandighede kon ek egter nouliks baie groot hartlikheid van haar òf Johan verwag. Alles in die huis was skoon en netjies, maar tog het sy dit nodig gevind om byna skugter verskoning te maak vir die eenvoud daarvan. „Jy gee nie om om buite te slaap nie?" het sy my gevra, en my skielik onseker aangekyk, asof sy besware aan my kant verwag. „Al die mense hier slaap in die somer buite, Johan ook; ons het hierdie diwans op die terras. Ek slaap binne met Julien." Ek het haar rond gevolg en beleefde opmerkings gemaak sonder om te luister na wat sy sê.

Sy het die tafel op die terras reeds gedek en ons het ontbyt geëet, brood en heuning en vrugte, met koffie uit 'n geel erdepot. Met die kind op haar skoot terwyl sy hom voer, het sy vrae gestel oor my reis en oor my indrukke van Griekeland en van Europa, sodat Johan se swye waar hy by ons aan tafel sit minder merkbaar was.

„Jy het Cynthia in Parys ontmoet?" vra hy toe.

Dit was Cynthia wat my hulle adres gegee het en die gedagte van Griekeland by my laat opkom het. „Ja, een aand by die Kemps. Hulle het 'n paar Suid-Afrikaners uitgenooi, en ander mense ook..."

„Skilder sy nog baie?"

„Ek glo so. Sy't gesê sy het 'n hele aantal skilderye wat sy wil hou vir 'n tentoonstelling wanneer sy weer Londen toe gaan."

„Was jy lank in Parys gewees?" vra Hilde.

„Net vir 'n rukkie, tien dae, twee weke. Ken jy die stad?"

„Ek het daar kuns studeer."

„Ek was hoofsaaklik in Amsterdam gewees sedert ek Europa toe gekom het. Ek is baie lief vir Amsterdam."

„Hilde kom van Amsterdam," sê Johan. „Ons is daar getroud."

„Ken jy mense in Amsterdam?" vra sy.

„'n Paar. Ek het vantevore al kontakte daar gehad — my moeder was Hollands, ons het by die huis Hollands gepraat..."

„Jy kan met Hilde Hollands praat," sê Johan, maar sy maak 'n verontskuldigende gebaar.

„Ek is so gewoond daaraan om Afrikaans te praat . . ." Sy praat dit ook goed, met 'n nouliks merkbare aksent.

„Hoe gaan dit met Cynthia?" vra Johan.

„Goed. Sy het baie oor julle gepraat."

„Cynthia skryf nie eintlik briewe nie. Ek het lank laas iets van haar gehoor."

„Jý skryf ook nooit vir iemand nie," sê Hilde.

„Sy's ongelooflik produktief wanneer sy eenmaal begin werk — sy kan skilder met 'n kamer vol mense om haar heen en met hulle gesels sonder dat haar aandag afgelei word van wat sy doen. Ek sou dit glad nie kan regkry nie."

Noudat ons oor die skilderkuns praat, het hy sy afgetrokkenheid verloor en ook aan die gesprek begin deelneem.

Hilde glimlag. „Johan is 'n baie asosiale skilder," sê sy. „Hy kan niemand by hom in die kamer verdra wanneer hy werk nie, selfs nie in die nabyheid nie. Wanneer hy besig is, gaan ek gewoonlik met Julien strand toe. Dit is wat so moeilik was toe ons in Amsterdam gewoon het, dit was in die winter en dit was onmoontlik om êrens heen te gaan."

Dit is mooi op die terras waar jy van die hoogte uitkyk oor die baai en oor die kus met sy rotse en klein strandjies. Toe ons klaar geëet het, het ons nog oor die koffie getalm, alhoewel ons die gesprek nouliks verder kon uitrek. Die nodige vrae is gestel, die nodige inligting verkry, die gegewe boodskappe oorgedra en verslag gedoen oor alle gemeenskaplike vriende en kennisse in Suid-Afrika sowel as in Europa, hul gesondheid, hul liefdesverhoudings, die vordering van hulle skryf-, skilder- of ander werk, en hul onderlinge vetes. Ek had niks meer te sê nie en Hilde niks meer om te vra nie, sodat ons skielik stil was. Die kind het hom losgewoel uit Hilde se arms en op die grond by haar voete begin rondkruip. Sonder hom by haar, het sy verlore gelyk, en sy het ongemaklik na haar gevoue hande bly kyk.

„Wat gaan jy vandag doen, Johan?" het sy gevra. Hulle het met mekaar begin praat, en ek het opgestaan en na die rand van die terras gestap om daar te staan en uitkyk. Blykbaar het hulle my beweging nie eers gemerk nie, want hulle het verder gesels in lae stemme en toe ook opgestaan. Ek kon hoor hoe Hilde die tafel begin afdek, en toe ek omdraai, was sy reeds in die kombuis besig, en Johan het verdwyn.

Dit is stil daar op die hoogte buite die dorp. Êrens roep iemand, kinders wat op die strand speel, of 'n ou vrou gaan op 'n esel verby in die pad. Kaalvoet stap ek af deur die tuin, die grond gloeiend onder my voete, en verder met die voetpaadjie langs die kranse af na die strand. Dit lê verlate in die sonskyn, en op die see is daar geen skip of skuit nie.

Johan en Hilde het voortgegaan met hul gewone lewe sonder om toe te laat dat my koms die verloop daarvan versteur, en eintlik het ek hulle afsydigheid verwelkom. Jy raak gewoond daaraan om jou eie gang te gaan, onafhanklik van ander mense en buite die baan van hulle lewens: gaan alleen op reis, sukkel self met kaartjies en bagasie, en stap uiteindelik ook alleen langs die kus, kaalvoet in die water waar die golwe oor die sand uitspoel. Jy is daar, in die son aan die rand van die see, die golwe breek oor jou voete, jy kyk uit tot by die horison, en vra niks meer nie of byna nie.

Langs die voetpaadjie het ek Hilde sien afkom strand toe met Julien in haar arms, en ek het bly staan waar ek is om op haar te wag.

„Hou jy hiervan?" vra sy toe sy my bereik.

„Is dit altyd so verlate?"

„Gewoonlik wel. Die meeste mense gaan na die strand by die hawe, al die Atheners wat hier huise huur vir die somer — hulle hou daarvan om bymekaar te wees. Soms kom daar mense hiérheen, maar nie dikwels nie."

Ek gaan sit langs haar op die strand waar Julien al begin het om in die sand te grabbel. „Dis mooi, die son en die helder kleure, die felheid — al hierdie lig en gloed."

Met haar vinger teken sy patrone in die sand. „Vir jou, ja, ná die Noorde; Amsterdam . . ."

„Hoe lank bly julle al hier?"

„Ons het maar in die lente gekom, ná die reëntyd. Die hele eiland was groen gewees, met massas veldblomme. Jy kan dit nou nie meer dink nie."

„Waarom juis na Griekeland?"

„Waarom het ons na Griekeland gekom? O, dit was so moeilik om woonplek te vind in Amsterdam, en 'n ateljee vir Johan, toe hoor ons deur vriende van hierdie huis wat te huur is. Daar het vroeër Belge hier gebly, ook 'n skilder en sy vrou. Daar is so baie voordele aan Griekeland verbonde, die klimaat byvoorbeeld, en die lewe hier is goedkoop."

„Dit moet eensaam wees. Of het julle al vriende op die eiland?"

Sy stryk die sand weer glad met haar hand. „Die mense hier is almal boere en vissers, en dan die besoekers uit Athene, maar ons kry nie baie met hulle te doen nie. Die meeste van hulle ken ook geen ander taal as Grieks nie. Johan kan 'n bietjie praat en ek het begin leer, maar ek het nie baie ver daarmee gekom nie. Ek ken nog nie eers die alfabet nie."

„Was dit dan julle bedoeling gewees om so afgesonderd te lewe?" vra ek.

„Miskien, gedeeltelik in elk geval. Dit hinder ons nie. Johan het sy werk, en ek het Julien en die huis, my lewe om mee aan te gaan. Jy maak jou eie wêreld om jou heen."

„Is julle van plan om uiteindelik terug te gaan Suid-Afrika toe?" vra ek. „Of sal julle eerder weer Amsterdam toe gaan?"

Sy speel nog met die sand. „Ek weet nie. Ons het nie vantevore besluit hoe lank ons hier gaan bly of wat ons daarná gaan doen nie."

Ná 'n tydjie het ek opgestaan en verder gestap, terug huis toe, terwyl sy agterbly met die kind op die wye strand. Die huis was leeg en Johan was nêrens te sien nie, en ek het in die werkkamer rondgedwaal en na die doeke gekyk wat daar staan. Ek het nooit vantevore van Johan se skilderye gesien nie en niks van sy werk geweet nie, net dat Cynthia met lof daaroor gepraat het en gesê het dat hy belowend is. Hierdie doeke kon ek ook moeilik êrens tuis bring of klassifiseer: groot vlakke groen en blou gevul met verstrooide lig, kleur waarin daar onduidelike, deinende vorms opgelos word, verspreide skadu waarvan die buitelyne nouliks uitgeken kan word, 'n detaillose droomwêreld waaragter daar vae angs en dreiging skuiling. Ek het die doeke weer reggesit en uitgegaan voordat Johan miskien onverwags terugkom en my hier vind.

Dit was duidelik dat Hilde, soos sy self gesê het, haar eie wêreld om haar heen kon maak, 'n wêreld van haar huis en haar kind waarin sy rustig rondbeweeg, geheel en al betrokke by wat sy doen, besig om te was en te stryk of die tafel te dek of glimlaggend met Julien te speel. Wanneer sy opkyk en bewus word van my aanwesigheid of van my oë op haar, het sy 'n oomblik onseker bly staan, en dan met 'n vinnige beweging haar hare van haar gesig teruggestoot en omgedraai na iets anders asof sy haar onttrek aan 'n ongewenste bespieding, terug in daardie vertroude wêreld, na bekende gedagtes en drome. Dié skugterheid teenoor 'n buitestaander was kenmerkend vir haar, en haar pogings om vriendelik te wees en my op my gemak te laat voel, het haar 'n mate van inspanning gekos.

Van Johan het ek min gesien. Soggens het hy hom in sy werkkamer teruggetrek, of anders het hy eenvoudig verdwyn en eers teen die koelheid van die aand huis toe gekom om emmers water uit die put op te trek vir die kombuis en vir die tuin waar hy die soetrissies, tamaties en eiervrugte moes natgooi. 'n Paar keer het ek aangebied om hom te help, maar hy het gesê dat hy dit alleen kan doen, en daar het dus niks vir my oorgebly nie as om te sit en lees op die terras waar hy met die vol emmers verbyloop.

Wanneer hy klaar was, het hy die kan wyn en die glase gebring, en ons het daar sit en drink terwyl die lug verkleur en die see glansend word. Dit was dan koel in die tuin, en op die terras waar die plaveisel nat was van die water wat met die skep van die ontelbare emmers gestort is. Hilde was om hierdie tyd besig om Julien gereed te maak vir die bed, sodat ek en Johan alleen hier buite gesit het, met 'n sekere spanning tussen ons, asof hy voel dat hy 'n gesprek moet begin, maar niks kan vind om vir my te sê nie.

„Is dit vir jou mooi hier?" het hy gevra.

„Die hele Griekeland is vir my mooi. Ek het natuurlik nie baie daarvan gesien nie, net Athene en 'n bietjie van die vasteland waar ons deur gekom het met die trein. En natuurlik die eilande op pad hierheen."

„Die eilande is mooi," sê hy. „Blou massas berge en kranse wat só uit die see oprys in die sonskyn."

„Het jy al baie in Griekeland rondgereis?" vra ek.

„Nee, ek ken dit nie beter as jy nie." Hy leun vooroor, sy elmboë op sy knieë, sy glas tussen sy hande, en kyk na sy sandale terwyl hy praat, nie na my nie. „Ons het reguit hierheen gekom. Toerisme is moeilik met 'n klein kind, jy kan nie heeldag oor bouvalle rondklim of op uitstappies gaan nie. Maar toe ons besluit om hierheen te kom, in Holland nog, het ek die atlas geneem en net al die plekname afgelees, al die eilande wat hier rondgestrooi lê: Kíthira, Mílos, Náxos. Dis mooi name, afgesien selfs van die assosiasies wat dit het."

„Ariadne," sê ek.

„Jy verwag dat daar altyd musiek oor daardie eiland sal klink." Die lae heuwels van die kus verkleur, die sonlig verdwyn van die see. „Rhódos, Thíra..."

„Síros," onthou ek. „Kíthnos."

„Lésbos is ook so evokatief. Ek verbeel my dat Lésbos vol suurlemoenbome staan en dat jy daar altyd die geur van suurlemoenbloeisels kan ruik."

„Daar moet kranse wees, dis al wat ek van Lésbos weet. Sappho het van 'n krans in die see gespring, nie waar nie?"

„Verlede winter in Amsterdam, toe dit dae aaneen, wéke aaneen, gereën het, en jy het geen droë skoene meer oor nie, en die karre spat jou nat wanneer hulle by jou verbyry in die straat."

„Amsterdam is ook mooi," sê ek. „Die lewe is daar mild, jy kan jou terugtrek en voel dat jy veilig is, êrens op 'n solderkamer tussen die duiwe en die kariljons."

Hilde het na buite gekom en agter Johan se stoel kom staan met die slaperige kind in haar arms.

„Een van die eilande het 'n dal vol skoenlappers," sê Johan. „En op Páros is daar marmergroewe."

„Ons praat oor die eilande," verduidelik ek vir Hilde. „Oor die mooi name..."

Sy glimlag. „Míkonos staan vol wit windmeulens," sê sy. „Iemand het ons daarvan vertel." Dan swyg sy egter en hou vir Julien na Johan toe om hom goeienag te soen. Hulle gebare is skugter, die vertroude handelinge ongemaklik in my teenwoordigheid, en terwyl Hilde die kind in die bed sit, is Johan en ek weer stil.

„Is daar enige besienswaardighede hier op die eiland?" vra ek ná 'n tyd.

„'n Paar ou kerke en kloosters met mooi ikone, dis al. Boerderye, strandoordjies. Nie veel meer nie." Hy het vir Hilde wyn geskink toe sy terugkom na buite; nou staar hy weer na die grond en drink in stilte.

„Daar is 'n versonke stad êrens langs die kus," sê Hilde. „Johan, jy moet Ruud eendag daarheen neem."

Hy kyk nie op nie, sonder reaksie op haar voorstel.

„Wat vir 'n stad is dit?" vra ek.

„O, 'n ou stad, ek weet self nie." Sy antwoord vaag en kyk vir 'n oomblik na Johan, bewus van die feit dat sy iets verkeerds gesê het, een of ander geheim prysgegee het. „Ek dink ons kan nou eet," sê sy. „Julien het dadelik aan die slaap geraak. Johan, is julle gereed?"

Hy het geknik en nie meer gepraat nie: dit was Hilde wat die gesprek aan tafel op 'n manier aan die gang gehou het met konvensionele opmerkings oor Griekeland en die ophaal van half-herinnerde dinge uit die verlede — reisbeskrywings, kunswerke en historiese feite. Toe het ons oor die kuns begin praat, en die gesprek het teruggekeer na Parys en die mense wat ek gedurende my verblyf ontmoet het en wat Hilde nog uit haar studietyd onthou. Sy het dit geniet om oor die stad te praat, en ek het die indruk gekry dat sy daar gelukkig was en aangename herinnerings daaraan oorgehou het.

Johan het teruggetrokke gebly in sy stilswye, besig met sy eie gedagtes, en net van tyd tot tyd na vore geleun om weer vir hom wyn te skink. Daar is geen lig op die terras nie, maar wanneer hulle saans buite eet, hang hulle 'n paraffienlamp aan die prieel op. Johan se rug was half na die lig; ek kon sien hoe sy donker hare oor sy voorhoof val, maar sy uitdrukking kon ek nie onderskei nie. Is hy afsydig, afgetrokke, ingedagte? geïrriteerd deur iets wat Hilde gesê of gedoen het, deur haar verwysing na die versonke stad miskien, of eenvoudig deur my teenwoordigheid? 'n Stad met torings en poorte onder die golwe, goue muntstukke en ou kruike wat in die sand bedolwe lê, bedek deur stromende seeplante. Wie sal sê?

Hilde het hom iets gevra: of hy dié dag baie gedoen het, of hy geskilder het, so iets — ek kan die vraag self nie meer onthou nie, net die manier waarop sy dit oor die tafel heen gevra het met my tussen hulle in. 'n Bietjie huiwerig, asof sy twyfel aan wat sy doen en selfs die moontlikheid van 'n antwoord onseker bly, op 'n vlak toon, asof dit 'n halwe onbekende is wat sy aanspreek; onseker, soos iemand aan die rand van die water wat met sy voete nog voel na die vaste grond, bang dat hy skielik in die diepte sal trap. Ek is 'n vreemdeling, 'n indringer, besef ek weer, wie se aanwesigheid iets versteur, alhoewel ek self nie weet wát nie. Drie is nooit 'n goeie getal nie; één daarvan bly altyd vreemdeling en indringer.

Dit was heeltemal donker toe ons van tafel opstaan. Hulle gaan altyd vroeg slaap. Ek het alleen in die donker gaan stap, langs die onverligte pad wat ek nouliks voor my kon sien. Ek was nog sonder sandale, maar die grond was sag en koel onder my voete, en die wind het van die see gewaai.

Die lewe op die eiland het gou 'n vaste patroon begin aanneem, en reeds binne die eerste paar dae van my verblyf het alles vertroud geword. Juis omdat Johan en Hilde my my eie gang laat gaan het en self teruggetrokke of afgetrokke bly, was daar aan my kant min aanpassing nodig. Hulle het niks van my gevra of verwag nie; ek kon vertrek, ek kon bly, ek kon kom of gaan soos ek wou.

„Ek sal vir my sandale moet kry," sê ek aan die ontbyt.

„Daar's 'n skoenmaker in die dorp," sê Johan.

„Hier onder?"

„Nee, nie by die hawe nie, daar's net die kafee en iemand wat voor sy deur druiwe verkoop. Die dorp is 'n entjie in die binneland, so 'n halfuur se stap. Ons het met die bus daar verbygekom."

Vanuit die bus het ek min gesien van die plekke langs pad; alle dorpies het ook vir my eenders gelyk, alle afstande onseker.

„Gaan jý nie vandag dorp toe nie, Johan?" vra Hilde. „Dan kan Ruud met jou saamgaan."

„Dis nie so moeilik om die skoenmaker te vind nie. Jy stap net op na die kerk wanneer jy die dorp binnekom, dan is hy in 'n straatjie wat links afdraai. Ek kan nie so goed beduie nie, al die strate loop inmekaar, maar jy sal dit wel vind. Jy kan altyd iemand vra."

„Ek ken net vier of vyf woorde Grieks."

„Ek ken nie veel meer nie, net die name van die dinge wat ons nodig het uit die winkels, en so 'n paar algemene sinnetjies. Ek het êrens 'n taalboekie wat jou miskien sal help."

Ná die ontbyt het hy afgegaan see toe met duikapparaat, en ek het op een van die diwans op die terras gaan lê met die Duits-Griekse taalboekie wat hy vir my gevind het. Dit het egter nie die woord vir sandaal of vir skoenmaker gegee nie, en die hoofstukkie oor „*Einkäufe*" het ook nie gehelp nie. „*Bitte zeigen Sie mir schwarze Schuhe*," het ek gelees, te lui om iets anders te doen as om die boekie te lê en deurblaai. „*Ich wollte lieber etwas Billigeres haben. Die sind sehr teuer*." Ek het probeer om die Griekse letters in die vertalings uit te spel. Skoene is *papútsia*.

Met die voetpaadjie wat langs die huis verby oor die hoogte gaan, kom daar mense af grootpad toe, 'n ou vrou met 'n kopdoek en 'n ou man wat op 'n kierie steun. Wanneer hulle my op die terras sien, roep die ou man iets en swaai met sy hand; die vrou sê niks nie, maar onder die kopdoek, laag oor haar voorhoof vasgebind, vertrek haar mond in 'n tandlose glimlag. Ek wuif terug en roep iets sinloos, sommer 'n geluid as teengroet terwyl hulle moeisaam met die paadjie afsukkel.

Hilde kom na buite. „Wie is hulle?" vra ek.

„O, hulle bly hier agter die heuwel, dan kom hulle hier verby wanneer hulle na die hawe gaan. Die ou man ken ons al en hy kom dikwels hier gesels, selfs al verstaan ons nouliks wat hy sê. Dis waarskynlik net omdat Johan hom altyd iets gee om te drink."

„Die Grieke is gewoonlik nogal vriendelik."

„Ek kom nie so dikwels met hulle in aanraking nie. Johan doen die inkopies, ek sien net soms mense op die strand of wanneer ek met Julien gaan stap. Hulle groet altyd, en soms probeer hulle 'n gesprek aanknoop."

Sy het die afdroogdoeke gewas en hulle nou buite kom ophang.

„Is daar êrens waar dit die moeite werd is om heen te stap?" vra ek.

„Hier langs die kus is dit mooi, daar is klein strandjies, en verder op, anderkant die hawe, is daar kranse, maar dit is al wat ek van die eiland af weet." Sy glimlag verontskuldigend en skud haar kop. „Dit spyt my, ek kan jou byna niks vertel nie. Ek is nie 'n baie ondernemende mens nie, ek bly gewoonlik maar by die huis, en met Julien is dit ook onmoontlik om ver weg te gaan."

Sy bly staan in die deur voordat sy teruggaan na binne.

„In die stad is daar 'n paar interessante kerke," sê sy, „en oorblyfsels van 'n ou muur. Dit is 'n mooi stadjie."

„Ek het maar net die hawe gesien toe ek aankom."

„Wit straatjies en wingerde en bougainvillea. Sommige van die winkels het mooi weefwerk."

Ek bly op die diwan lê en soek na woorde waarmee ek die ou man sou kon groet. *Kaliméra, kalispéra, kaliníchta.* Ek blaai deur die boekie, maar kan my nie in die vergesogte situasies indink waar ek hierdie sinnetjies nodig sou kan kry nie.

Johan het teruggekom huis toe vir die middagete, maar hy was ingedagte en het nouliks geëet. Na die ete het hy in sy werkkamer verdwyn, en nadat sy die skottelgoed gewas het, het Hilde 'n strandtas begin inpak. „Ek gaan met Julien strand toe, Ruud," het sy gesê. „Wil jy saamkom?"

„Ek sal láter," sê ek, maar ek het aan die slaap geraak op die diwan. Toe ek wakker word, was dit al heelwat later, en Johan het op die terras gestaan en uitkyk na die see met sy rug na my toe, sy hande in sy sakke. Ek het daar bly lê, nog half aan die slaap, en hy het ook nie beweeg nie. Dit het skielik baie stil geword op die hitte van die dag, die wye vlakke van see en lug roerloos uitgestrek en die geluid van die golwe slegs 'n verre gedruis, één enkele klank in die oorkoepelende stilte. Skadu onder die olyfbome waar arbeiders nou skuiling soek in die boorde, skadu onder die koel groen takke van die wingerd, donker skadu in die dennewoud waar die lug die bitter geur dra van dennenaalde en hars — een enkele ryk en genadige skadu onder die wye hemel; rus in die hitte, gestreel deur daardie verre gedruis, deur die gespoel en die gespoel van die golwe aan die kus in die oorkoepelende stilte.

Johan bly daar staan asof hy op iets wag, miskien 'n seil op die blou seevlak of die rookpluim van 'n skip aan die horison. Vir die eerste keer is hy nie bewus van my aanwesigheid nie, en half aan die slaap kyk ek na hom oor die groot afstand wat ons skei: sy donker kop teen die lug, sy seilbroek en helder hemp. Dan draai hy stadig om, terug na die huis, teleurgestel.

Ek vryf oor my gesig, en hy bly staan, sy hande nog in sy sakke.

„Ek het water opgesit om koffie te maak," sê hy. „Wil jy ook hê?"

„Graag. Ek het aan die slaap geraak; ek word lui."

„Ek wou vanmiddag werk, maar ek kan nie, daar is niks nie. Soms help dit as jy maar koffie drink. Wyn maak jou net vaak in die hitte."

Hy lyk ontevrede en skop ongeduldig sy sandale van sy voete in 'n hoek van die terras. Ek gaan was my gesig in die skottel in die kombuis terwyl hy die koffie maak, en weet nie of ek iets moet sê of liewer stilbly nie. Rusteloos stap hy heen en weer met 'n beker koffie in sy hand.

„Ek dink ek gaan af strand toe," sê ek. „Miskien sal jy makliker werk as jy alleen is."

„Jy hinder my nie."

„Hilde het gesê..."

„O, as Julien hier rondkruip en lawaai maak of as sý in die kombuis besig is, dan kan ek nie konsentreer nie, maar vandag is sommer net 'n moeilike dag. Daar is rukke wanneer ek wíl werk en rukke wanneer ek kán werk, hulle val nie altyd saam nie." Hy gaan weer uitkyk na die see. „Iemand soos Cynthia kan net voor die esel gaan staan en begin, dis wonderlik."

„Sy het die indruk gegee dat sy baie energie het."

„Cynthia is 'n nogal buitengewone mens. Het jy haar dikwels gesien toe jy in Parys was?"

„Die aand by die Kemps, en daarna was ek een middag op haar ateljee."

„Nog altyd dieselfde rommel?"

„Ja, vol dinge van oor die hele wêreld, en boeke en briewe wat rondlê, en katte, en wierook."

„Wat het sy aangehad?"

„Op die partytjie 'n geel rok en 'n lang string barnsteenkrale; in haar ateljee sommer 'n katoenbroek en 'n ou blou oorrok."

„Het sy nog lang hare?"

„Ja, in 'n wrong op haar kop, met haarspelde wat uitval."

Hy lag. „Sy het al begin grys word toe ek haar laas gesien het. Dit was ook voordat ons getroud is, toe ek en Hilde weg is uit Parys." Oor Cynthia praat hy met skielike lewendigheid, sy donker gesig verlig.

„Het jy haar goed geken?" vra ek.

„Ja, in die tyd toe ek student was in Parys. Sy het my ontsettend baie gehelp, met geld onder andere, maar sommer ook net met vriendskap. Sy het 'n wonderlike intuïsie wat mense betref, sy weet wat om te sê en hoe om te luister, sy weet wat om mét hulle en vír hulle te doen..."

Hy sit die koffiebeker neer en steek 'n sigaret aan. Dan dwaal hy op die terras rond terwyl hy iets soek.

„Wat soek jy?" vra ek.

„My sandale," sê hy ingedagte met die sigaret tussen sy lippe.
Ek gaan hulle optel waar hy hulle weggeskop het en gee hulle vir hom.
„Sal ek die bekers afwas?"
„Nee, los dit, ék sal."
Ek trek die diwan reg waar ek gelê het en hy drink nóg koffie. „Jy hoef nie weg te gaan nie," sê hy meteens. „Jy kan bly as jy wil."
„Ek dink tog ek behoort te gaan swem. Ek lê vandag al heeldag op die terras."
„Die see is mooi in Griekeland," sê hy, maar hy staan weer aan iets anders en dink, en ek neem my handdoek en stap af see toe langs die klipperige paadjie.
Hilde het haar in die skadu van die rotse ingerig. „Jy het dit hier gesellig gemaak," sê ek.
Sy neem haar sonbril af en glimlag na my uit die skadu. „Dis 'n lekker deel van die strand," sê sy.
„Dis 'n Hollandse gawe om gesellige hoekies te maak."
„Ek is bevrees dat ek nie veel Hollandse gawes het nie. Ek is nie nugter en prakties nie."
„Stadig, deeglik, verbeeldingloos..."
Sy glimlag onder die wye rand van haar sonhoed. „Jy hou nie baie van die Nederlanders nie," merk sy op.
„Ek is darem gewillig om hulle baie te vergewe ter wille van Amsterdam."
„Wil jy teruggaan daarheen?" vra sy.
„Ek het nog nie eintlik daaroor nagedink wat ek wil doen nie. Maar van alle stede sou ek die liefste dáárheen wil teruggaan."
„Amsterdam is 'n wonderlike stad om na terug te kom," sê sy. „Ek weet nog hoe dit was wanneer ek as jong meisie van vakansie teruggekom het, of later van Parys." Sy is vir 'n oomblik stil. „Nóú ook, die laaste keer, toe ons teruggekom het uit Suid-Afrika. Jy kom túis in Amsterdam, elke keer."
Sy praat met 'n sagte stem terwyl sy voor haar uitkyk in die sonskyn. Ek sien die groot silwer vlakke van die water en ou geboue aan die waterkant en meeue; trems rammel langs die spore, klokke sing oor die stad.
„Lewe jou ouers nog?" vra ek.
„Nee, ek het geen naverwante meer nie. Daar was geen hegte bande in Nederland nie, dit was eenvoudig gewees om daar weg te gaan."
Sy sê „eenvoudig", nie „maklik" nie. Sy sit haar sonbril weer op en kyk van agter die donker glase na die felle landskap en die lig. „Werk Johan nog?" vra sy dan.
„Hy het koffie gemaak toe ek by die huis weg is, hy't gesê hy kan nie vanmiddag werk nie. Ek het aan die slaap geraak en 'n rukkie gelede eers wakker geword."
Die kind klouter oor ons bene waar ons langs mekaar in die skadu

sit, struikel, en val in die sagte sand. Hilde help hom weer orent. „Ek het gehoop dat dit nou beter gaan," sê sy.

„Met sy werk? Elke kunstenaar kry tog dooie tye."

„Ek weet, maar Johan sukkel nog, hy probeer 'n eie styl vind, iets waarin hy hom heeltemal kan uitdruk."

„So iets gebeur seker stadig."

„Ja, en hy is nog aan die begin van sy loopbaan, daar is baie tyd, maar dit is frustrerend vir hom. Hy het mooi dinge gedoen in Parys, maar hy het stapels doeke vernietig voordat ons weg is uit Europa, en in Suid-Afrika ook. Hy het daar geskilder en selfs 'n tentoonstelling gehad, die kritiek was baie gunstig gewees en hy het 'n hele paar skilderye verkoop, maar hy was nie tevrede nie. Ek het gehoop dat dit hier in Griekeland beter sal gaan."

„Ek weet niks van sy werk nie — ek weet ook so min van die kuns in Suid-Afrika."

„Hy is nog nie so bekend in Suid-Afrika nie. Vroeër het hy baie stillewens geskilder, maar hy het al hoe meer abstrak begin word."

„Jy skilder nie self nie?" vra ek.

„Ek?" Sy glimlag vir 'n oomblik by haarself oor dinge wat baie lank gelede gebeur het. „O nee, nie meer nie. My vader het my na Parys laat gaan om my Frans te verbeter, toe het ek na die kunsskool gegaan, maar dit was net 'n tydverdryf. Daarna is ons getroud."

„En het jy darem Frans geleer?"

„Ja, maar ek het weer soveel daarvan vergeet."

Ek het op my rug langs haar gaan lê, en Julien gooi sand oor my voete waar hy speel: reeds het hy my aanvaar. Hilde sit met 'n tydskrif op haar skoot.

„Jy wil lees," sê ek.

„Nee, daar is genoeg tyd om te lees."

„Of swem."

„Ek gaan nooit swem nie, ek is bang vir die diep water." Sy lag. „Dit is ook 'n onhollandse eienskap, Johan kan dit glad nie verstaan nie. Hy wil nou al vir Julien leer om te swem."

Ek trek my uit om in die see te gaan; die water is warm en helder. Onseker op sy voete kom Julien agter my aan, val om, en kruip handeviervoet verder na die see. Ek neem sy hande beet en lei hom in die water in waar die klein golwe oor sy voete uitspoel, sodat hy lag van plesier. Dan bring ek hom dieper in, waar die deinende golwe tot by sy bors kom, en aan my hande trek hy hom op om sy voete uit die water te kry terwyl hy lag totdat hy uitasem is. Die sonlig word gebreek op die seevlak en die weerkaatsing daarvan dans silwer met die golwe saam; die son is in my oë wanneer ek omdraai na die strand, sodat ek Hilde nie kan sien nie, net die wye lyn van die berge en die kranse, en die wit huis bokant ons op die hoogte.

Hilde kom die kind haal, kaalvoet in die vlak water, en spoel die modder van hom af. Die skadu het reeds oor byna die hele strand uitgestrek en die helder kleure het begin versag. Sy moet teruggaan huis toe, sê sy, en wanneer sy die voetpaadjie weer uitgeklim het met die kind op haar arm, is die baaitjie verlate. My klere lê op die strand waar ek hulle gelaat het, en ek sien die kleure van my handdoek nog oplig in die skemer wat geleidelik toeneem.

Daardie aand het ek en Hilde alleen geëet. „Kom Johan dan nie?" het ek gevra.

„Hy was weg gewees toe ek by die huis kom. Soms bly hy laat weg, dan eet hy wanneer hy terugkom."

Sy het weer teruggetrokke geword en onder die ete het ons nie baie gepraat nie. Toe ons klaar is, het sy die tafel afgedek en die skottelgoed gaan was. Ek het aangebied om haar te help, maar sy wou geen hulp hê nie, en ek het op die terras bly sit en rook.

Later het Hilde ook buite kom sit om by die lig van die hanglamp te lees: sy was besig met *Le Rouge et le Noir* terwyl ek by hulle was. Sy het 'n trui los om haar skouers gehang asof sy koud kry, en sy het só bly sit, haar kop oor die boek gebuk. Van tyd tot tyd het sy 'n blad omgeslaan, maar daar was iets meganies in die beweging, en later het sy die boek op haar knieë laat sak en roerloos voor haar uit gestaar terwyl sy wag. Dit was baie stil, net die geruis van die see hoorbaar in die donker, en die wind het die loshangende moue van haar trui geroer. Ek kon haar afwagting en gespannenheid voel waar sy oorkant my sit, en ook ek het gewag, dat iemand moet kom, dat daar iets moet gebeur, alhoewel ek self nie geweet het wat nie. In die velde bokant die huis het 'n esel met sy hoef teen 'n klip geskop, langs die hawe het iemand van oorkant die water geroep, en by elke klank het ek opgekyk.

„Daar het nie dalk iets met hom gebeur nie?" vra ek.

Sy draai haar kop stadig na my toe en bly in my rigting kyk asof sy nie gehoor het wat ek sê nie.

„Met Johan."

Sy skud haar kop. „Nee, hy sal later terugkom. Hy het seker op 'n ander strand gaan swem of êrens gaan skets, miskien het hy in 'n kafee bly eet..."

„Voel jy nie bang alleen nie?"

„Nie oordag nie, net saans, snags."

„Die huis is nogal afgeleë."

„O, dít maak nie saak nie, ek is hier heeltemal veilig. Die mense is baie betroubaar. Dit is net dat dit my bang maak om alleen te wees wanneer dit donker word. Dit is hier so stil, ek kan nie slaap nie, ek bly snags wakker lê..."

„Wat verwag jy dan dat daar sal gebeur?"

„Niks nie. Maar om alleen te wees, is erger as enigiets wat sou kan gebeur."

Later staan ek op en gaan af na die tuin in die donker.

„Gaan jy stap?" vra sy.

„Ek weet nie. Wil jy liewer dat ek hier bly?"

Sy aarsel tussen beleefdheid en eerlikheid. „Ja," sê sy toe.

Ek gaan dus op die rand van die terras sit en rook. Hilde wil nie praat nie en sit net daar, vooroor geleun met haar gesig in die skadu van haar los hare, haar arms gekruis oor haar bors terwyl sy die trui óm haar vashou. Het dit sin om hier te bly? wonder ek by myself. Op aandrang van Cynthia het ek my hier uitgenooi, en ek het nou al lank genoeg gekuier om weer my vertrek te kan oorweeg en navraag te doen na skepe. Nog 'n paar dae, dink ek, en volgende week kan ek verder reis.

Toe ons daardie aand gaan slaap, het Johan nog nie huis toe gekom nie, maar die volgende oggend toe ek wakker word, het ek gesien hoe hy deur die tuin af strand toe stap in sy swemklere. Hilde was nog in die kamer besig, en nadat ek my aangetrek het, het ek my sketsboek geneem en onderkant die huis langs die grootpad gaan sit om dit te probeer teken. Dit was 'n eenvoudige onderwerp, die lang, lae huis teen die heuwel met die groen van die wingerd en die blomme van die oleanders helder teen die gewitte mure, maar my tekening het 'n massa onsamehangende lyne gebly, en uiteindelik het ek nie eers meer probeer om daaraan reg te skaaf nie en net daar bly sit in die sonskyn.

Ek het Johan nie van die strand hoor opkom nie totdat hy agter my is op die voetpad en ek omkyk. Ongemaklik bly hy by my staan en soek na iets om te sê omdat hy nie sommer verby kan stap nie. „Gaan jy nie swem nie?" vra hy.

„Ek is nie so lief vir swem nie."

„Nes Hilde."

„Jy swem graag?" vra ek.

„Ja, maar veral swemduik, onderwaterswem . . ." Ek maak my sketsboek toe. „Wat het jy geteken?" wil hy weet.

Ek laat hom die tekening sien. „Dis nie goed nie," erken ek.

„Nee, dis sleg. Teken jy baie?"

„Net soms. Ek het hier in Griekeland weer probeer: dis alles so eenvoudig met die strak lyne en die helder kleurvlakke."

„Ja, geen subtiliteit nie, nes Suid-Afrika. Alles fel gekleur, skerp omlyn, eenvoudige patrone — onversagte werklikheid met niks waarvoor jy nog jou verbeelding nodig het nie. Daar is geen plek vir drome nie."

„Wat het jy dan teen die werklikheid?" vra ek.

Hy glimlag terwyl ons met die paadjie terugstap huis toe vir ontbyt. „Dis maar net iets toevalligs waarmee ons opgeskeep sit. Drome is belangriker."

Hilde staan op die terras op ons en wag met die koffiepot in die hand. „Ruud moet vir hom sandale kry," sê sy.

„Ek het mos gesê daar's 'n man in die dorp wat sandale maak," sê Johan, en gaan kamer toe om hom te gaan aantrek.

„Johan," roep sy agter hom aan, „jy moet vandag tog dorp toe gaan. Ruud kan mos met jou saamgaan."

Hy antwoord nie, maar kom na 'n tydjie terug, besig om sy hemp vas te knoop. „Ek weet nie, het ons dan weer iets van die winkels nodig?"

„Daar is nie meer baie wyn nie."

„Waarom nie? Ek het Maandag 'n hele kan gekry."

„Dis byna leeg. Ons drink tog elke aand wyn."

Ek het met Julien gaan speel om my aan hulle argument te onttrek, want dit is duidelik dat Johan geen behoefte aan geselskap het wanneer hy dorp toe gaan nie. Aanstaande week sal ek verder reis, dink ek weer; ek kan tog net sowel êrens in 'n hotel of pension sit, op 'n ander eiland, in 'n ander dorpie, as hier by Hilde en Johan.

„Kom eet, Ruud," sê Hilde, en begin koffie skink. Johan is in 'n slegte bui en antwoord haar ongeduldig terwyl hy swart koffie drink, maar sy praat rustig verder oor die dinge wat hulle nodig het en verloor nie haar humeur nie.

„As ek na die skoenmaker gaan, kan ek tog terselfdertyd inkopies doen," sê ek vir haar.

„Johan ken al die winkels, hy weet waar om te gaan en wat hy moet koop." Sy kyk nie na hom nie, en ek kry die indruk dat dit vir haar om een of ander rede belangrik is dat ons twee saam gaan, iets wat sy ten alle koste moet laat gebeur. Hy maak ook nie verder beswaar nie, maar gaan sy sandale aantrek en die inkopiestas haal waar dit agter die kombuisdeur hang. Saam stap ons af na die hawe. Johan praat nie, die tas oor sy skouer, sy gesig weggedraai na die see, en ek weet dat hy kwaad is vir Hilde of my, of vir ons albei, of miskien geeneen. Sy sonbril verberg sy oë.

By die hawe sit daar mense voor die kafee, mans wat kaart speel en vroue wat joghurt eet terwyl hulle met mekaar gesels en kyk na die spelende kinders op die strand. As laaste gebou in die gehuggie staan daar 'n wit kerkie op 'n hoogte tussen oleanderstruike, en dan verlaat ons die kus en kan ons die see nie meer sien nie. Die land is dorbruin en stowwerig in die somerhitte; daar is klipmuurtjies langs die pad, en voor ons rys die kaal bergerye teen die lug op. Op 'n piek vang wit mure die sonskyn, en in 'n kloof, ver weg, is daar die groen van bome.

„Wat is daardie gebou?" vra ek.

Johan het 'n entjie voor my uit geraak asof hy vergeet het dat ek by hom is, en wanneer ek praat, draai hy met 'n skielike verontskuldigende gebaar om.

„Die gebou?" vra hy.

„Daar op die berg," sê ek, en wys op die skitterende mure.

„O, waarskynlik maar 'n kerk. Daar is honderde klein kerkies waar daar feitlik nooit iemand kom nie, op bergpieke of langs die pad."

Hy hou nou sy pas in sodat ek kan bybly. „Jy het lank laas kaalvoet gestap," sê hy.

„Nie in Londen of Parys nie."

„Het jy dan net één paar sandale saamgebring?"

„Ja, ek wou met min bagasie reis. Maar die een se gespe het gebreek toe ek aan boord gaan, toe val hy van die loopplank af."

„En die ander een dan?"

„Ek het so kwaad geword ek het hom agternageskop."

Toe lag hy, die eerste keer dat hy lag in die tyd dat ek by hulle is, en sy stilswye was vriendeliker terwyl ons verder stap. Agter ons het daar 'n vragmotor met gruis aangesukkel, moeisaam, asof dit nouliks die geleidelike helling kan behartig, en ek het agter Johan geloop om dit te laat verbygaan. Toe dit verby is, het hy omgedraai en op my gewag.

Die pad het gebuig en die dorp het voor ons gelê, 'n massa helderwit huise op 'n heuwel rondom 'n kerk. In die verte het dit byna onaards gelyk, oneg in sy trillende suiwerheid.

„Dit is mooi," het ek sinloos opgemerk.

„Op 'n afstand lyk dit baie skilderagtig, maar van naby is dit sommer net 'n dorpie."

„Skilder jy nooit so iets nie?"

„Nee, ek skets soms iets hier op die eiland, maar nie skílder nie. Dis te vanselfsprekend, hierdie dinge."

Hy het nie gelyk asof hy lus voel om verder te verduidelik nie en ek het hom ook nie uitgevra nie; ons het die dorp in stilte genader. Van digby gesien, was dit ook net 'n gewone plek, soos Johan gesê het: 'n ry bome, 'n petrolpomp en 'n graanskuur, en dan 'n reeks kronkelstraatjies wat tussen huise deur teen die heuwel op loop, kruis en dwars in en déúr mekaar. Voor een huis het daar 'n paar ou mans in die skadu van 'n wingerd gesit, en toe ons om 'n hoek kom, het 'n kind deur 'n hek in 'n muur vir ons weggehardloop, maar verder was die dorp verlate.

„Is dit altyd so stil?" het ek gevra.

„Gewoonlik. Ek veronderstel die mans werk op die land en die kinders is almal op skool. Maar daar bly ook nie soveel mense nie." Op 'n hoek gaan hy staan. „Dis die straat wat ek bedoel, hier links op. Die skoenmaker bly in die huis met die groen luike of die een langsaan."

Papútsia, dink ek. „Sal ek vir jou wag wanneer ek klaar is?"

„Jy hoef nie, ek sal seker 'n hele tydjie besig wees met die inkopies."

„Ek kan jou nie help dra nie?"

„Ek glo nie so nie."

Ek het reeds weggedraai, my hand opgelig in afskeid, en hy het verder teen die heuwel op gestap met die slingerende straat. Die huis met die groen luike was ook dié waar die skoenmaker te midde van skoene en snippers leer met vriende sit en gesels. Daar was nie veel gebare nodig om te verduidelik wat ek wil hê nie, en die prys van die sandale wat ek vir my uitgesoek het, het hy op 'n stukkie papier geskryf. Bemoedig deur my welslae het ek verder langs die vlegtende straatjies gedwaal, verby mure, verby geslote hekke, geslote deure, helderblou of -groen geverf, verby die lig wiegende gordyne wat voor oop deure hang en langs wit mure óm hoeke in ander straatjies met ander wit mure, ánder deure en geslote hekke. Daar was iets droomagtigs in die plek, en ek het doelloos verder gestap: net aan die helling van die straatjies kon ek hul rigting bepaal, en toe ek hulle uitgeklim het, het ek die kerk bereik, met 'n stowwerige plein en 'n gedenkteken daarvoor. 'n Meisie wat verbykom, bly staan om op 'n afstand na my te kyk. Ek het gedink dat ek Johan miskien êrens sal raakloop, maar ek het hom nie gesien nie. Self het ek agter 'n lae, neergetrokke blinding 'n vrugtewinkel ontdek en met skielike geesdrif vrugte gekoop, druiwe, vye en pere. My beurs met geld het ek vir die vrou oopgehou en sy het 'n paar muntstukke daaruit geneem. Op die platteland is die mense eerlik.

Toe ek weer die kronkelpaadjie uit die dorp afkom, sien ek Johan wat langs die pad op 'n muurtjie sit en wag in die skadu van die bloekombome.

„Wag jy op mý?" vra ek.

„Ek het by die skoenmaker langs gestap, maar jy was al weg."

„Dit spyt my, ek het nie geweet jy gaan op my bly wag nie. Ek het nog 'n bietjie rondgestap en vrugte gekoop . . ."

„Ek het gedink ek moet miskien liewer wag." Ek het nie gevra waarom en hy het ook nie verduidelik nie. „Of dalk wil jy liewer nog hier bly, êrens heen gaan . . ."

„Nee, ek wil huis toe gaan, dit word nou warm." Ek het ongemaklik gevoel oor hierdie skielike bedagsaamheid, terwyl dit dié oggend so duidelik was dat hy nie my geselskap wou hê nie. Hy het egter reeds opgestaan om verder te gaan. Soms sien ek nog baie duidelik daardie warm, droë oggend, en die stowwerige pad onder die bloekombome. Die dag is stil; die wit dorp tril in die hitte. Ek kom by die heuwel af en sien Johan wat in die skadu langs die pad op my sit en wag; ek sien eers uit die verte die helderheid van sy gekleurde hemp onder die bome. Ek kom by die heuwel af waar die los klippe onder my voete wegrol, sodat Johan omdraai en in my rigting kyk, in die skadu van die bloekombome langs die pad. „Ek het gedink ek moet miskien liewer wag," sê hy, maar verduidelik nie waarom, en ek weet nie wat ek moet sê nie. Soms sien ek nog die helder dag en voel ek die dorheid van die lug en die hitte van die son.

Sy tas was vol en hy had nog 'n kan wyn. „Gee dat ek jou help," het ek gesê.

„Nee, ek is gewoond daaraan, ek dra dit altyd self. En jý het ook pakkies." Ons stap 'n tydjie in stilte. „Wat het jy gekoop?" vra hy.

Hy het nie geluister na wat ek sê nie. „Vrugte."

„Waarom?"

„Soms voel ek net lus om dinge te koop, om geld te bestee."

„Jy het te veel gekoop."

„Ons kan almal daarvan eet."

„Dis tog nie nodig dat jy ons onderhou nie."

„Ek onderhou julle nie, ek het net vrugte gekoop." Die gesprek het dieselfde doellose bitsigheid begin aanneem as dié met Hilde aan die ontbyttafel, en ek het stadigaan ongeduldig geword.

„Ek sou ook vrugte saamgebring het as ek geweet het jy wil hê, jy kon net gesê het."

Ek het nie geantwoord nie. Hy kon liewer alleen huis toe gegaan het en my gelaat het om self agterna te kom, het ek by myself gedink; hy kon my liewer hierdie sinlose bespreking bespaar het. Hy wou natuurlik net vriendelik wees, net een of ander bewys van welwillendheid gee, een of ander gebaar van toenadering maak; maar so 'n besef kom gewoonlik eers later. Uit die gesprekke waarmee jy die tyd omkry, uit die aaneengerygde konvensionele woorde en gebare, uit wandelinge saam langs stowwerige paaie in die hitte van die oggend, uit die hele gebeure van dae en van weke begin daar los wrakstukke opspoel, uitspoel: woorde of stilte wat jy liewer sou wil vergeet, oomblikke wat jy nie wil onthou nie, soos daardie oggend toe ek langs die heuwel afkom en Johan vind waar hy op my sit en wag in die skadu van die bloekombome.

Ons het in stilte verder gestap; die sweet het oor my gesig geloop en die nuwe sandale het my voete begin skaaf. Die wit dorp het agter ons gelê en daar was nou niks waarop ek my oë kon rig nie as eindpunt van die tog, selfs die see afgesny deur die lae heuwels voor ons. Op 'n afstand het daar verspreide, afgesonderde boerehuisies tussen bome gelê, 'n wit kerkie omring deur denne, maar op die pad voor ons was daar geen skadu nie.

„Dit spyt my," sê Johan toe; „ek het gedink ek sal op jou bly wag, maar dit was nie nodig nie."

„Jy sê dit nou asof jy dink dat ek aanstoot geneem het daaroor."

„Nee, ek bedoel net dat mens soms liewer alleen wil wees. As jy wil, sal ek jou pakkies vir jou huis toe neem, dan kan jy nog gaan swem. Hilde het gesê jy wil miskien."

„Dit was maar net 'n voorstel gewees. Ek het tog nie swemklere saamgebring nie."

My ongeduld met die trapmeulgesprek neem toe. Hierdie uitgerafel is tog onsinnig, dink ek terwyl die sweet in my oë loop en die sandale steeds seerder maak. Ek trek hulle uit en dra hulle in my hand.

„Wat makeer?" vra Johan.

„Hulle's te nuut, hulle maak my voete seer." Die grond is nou egter gloeiend warm onder my voetsole.

„Die kus is mooi aan die ander kant van die hawe," sê Johan. „As jy die voetpaadjie agter die kerk uitstap, loop jy al langs die rand van die kranse, en dan kom jy oor 'n nek by die een strand na die ander. Daar is gewoonlik geen mens te sien nie, net die boere op die landerye."

„Jy ken die eiland seker goed," merk ek op.

„Ek het al heelwat daarvan leer ken, veral langs die kus."

„Dit sal waarskynlik nie lank duur voordat die toeriste dit ontdek nie."

„Hulle het al begin kom, maar net in die somer. In die winter is dit hier glo heeltemal verlate."

Ons wissel sinnetjies om die gesprek aan die gang te hou noudat dit begin het, maar dit interesseer my nie en ek luister nouliks na wat hy sê òf na my eie woorde, my oë op die pad voor ons en die dor bruin heuwels in die son.

„Waar gaan jy heen wanneer jy hier weggaan?" vra hy.

„Ek weet nie. Ek sal seker probeer om 'n bietjie meer van Griekeland te sien noudat ek hier is. Maar ek het nie met 'n plan gekom nie, dit was heeltemal impulsief gewees."

„Sou jy dan nie gekom het as jy nagedink het nie?"

„Ek wou nie langer in Parys bly nie, toe stel Cynthia juis Griekeland voor..."

Ons het oor die hoogte gekom, ons sien die hawe en die wit huisies, die diepblou see. Die kinders lag en roep vir mekaar waar hulle op die strand met 'n bal speel.

„Eintlik sou ek kon teruggegaan het Amsterdam toe en daar werk gesoek het," sê ek, „maar ek wou dit nie so gou al doen nie. Soms kan jy nie tot rus kom nie, jy bly aangaan en verder reis omdat jy bang is dat jy dalk êrens iets sal misloop."

Hy kyk na my, maar sê niks nie. Ek vee die sweet van my gesig en trek weer my sandale aan.

„Dalk vind jy eendag iets, êrens, wat jy anders sou misgeloop het," sê Johan dan. „Dan sal dit die moeite werd wees, al die soek en die lang reis."

„Ek hou nie van reis nie, nie in vreemde lande waar jy nie eers die taal ken nie. Miskien is dit makliker as jy jou op 'n plek gevestig het, maar as jy net deurreis, voel jy dikwels baie afgesonder."

„Mense is gewoonlik maar afgesonder in 'n ander land, wát die omstandighede ook is. Jy weet tog gedurig dat jy vreemd is, dat jy nie hier hoort nie. Selfs in jou eie land kan jy dit voel." Daarna praat hy nie meer nie, en ek is bly dat dit nie nodig is om die gesprek voort te sit nie. Wanneer ons die kafee en die huise agtergelaat het, draai hy sy kop egter na my toe sonder om my aan te kyk. „Ek gaan swem hier anderkant die hawe. Voel jy dalk lus om saam te kom?"

„Dankie, ek dink nie so nie. Ek is moeg van die stap."

Ek klim die steil voetpaadjie op na die huis en hy volg met die inkopiestas en die wyn. Die hitte het fel geword en die wye panorama van lug en see omsluit die huis met wasige blou. Ek drink water uit die erdekruik wat in die skadu van die terras staan en gaan op 'n diwan lê terwyl Hilde in die kombuis die inkopies wegpak en vir ons koffie maak. Wanneer sy na buite kom met die skinkbord, het Johan egter verdwyn, en toe sy hom roep, kry sy geen antwoord nie.

Sy staan op die rand van die terras en roep oor die tuin, maar die dag is stil. Vir 'n oomblik bly sy onseker wag, haar hande langs haar sye, maar dan onthou sy dat ek daar is en draai om om my die koffie aan te gee.

„Hy het gesê hy wil gaan swem," sê ek.

„Ek het hom nie sien gaan nie."

„Hy het die inkopies in die kombuis gaan neersit, toe is hy weg. Hy het seker strand toe gegaan."

„Hy het net die tas neergesit, hy het niks gesê nie."

Ek lê na die druiweblare en kyk terwyl ek wag dat die koffie koud word. „Johan is baie onafhanklik," sê sy waar sy gaan sit het met haar elmboë op die tafel. „Hy hou daarvan om te kom en gaan soos hy wil. Dit is waarom die eiland hom aangetrek het, omdat jy hier jou eie gang kan gaan."

Sy praat om haar gevoelens te verberg, wát hulle ook is, of om Johan in haar eie oë of in myne te regverdig; miskien net om iets te sê terwyl sy by my sit en koffie drink voordat sy kombuis toe gaan om middagete klaar te maak. Ek lê op my rug met die beker op my bors en antwoord nie. Nou gaan sy vra of ek maklik sandale gekry het, dink ek; sy gaan vra wat ek van die dorp dink, en of dit baie warm was, vrae oor dinge wat haar nie interesseer nie, antwoorde wat sy nie eers sal hoor nie. Môre kan ek gaan, of oormôre, net wanneer die skip van Piréus weer die eiland bereik; ek kan op 'n ander eiland gaan sit, in 'n ander vissersgehuggie, onder 'n ander wingerdprieel in die hitte, en die mense sal my met rus laat. Hulle sal begryp dat ek gek is, want ek is 'n vreemdeling en alle vreemdelinge is gek, maar hulle sal my gekheid en my vreemdheid aanvaar, my taalboeksinnetjies beleef aanhoor, die juiste bedrae uit my beurs neem wanneer ek dit vir hulle oophou, en my verder nie lastig val nie. In die gevlekte skadu van die terras sal daar geen vrae gestel of antwoorde verwag word nie, en daar sal geen formele beleefdheidsgesprekkies wees nie.

Hilde vra egter niks meer nie en ons drink ons koffie in stilte. By watter een van die eilande op pad terug na Piréus sal ek die skip verlaat? wonder ek. Dié met die kaai waar die rykmansjagte vasgemeer was en die radio hard gespeel het; die eiland in die verte met sy hoë kranse en wit kerkies; dié waar die skip buite die hawe lê en wag het op die koms van die bootjies met passasiers? Die plekke wat ons op die heenreis aangedoen het, kan ek nie meer duidelik in my geheue onderskei nie. Waar was die wye baai, die windmeule, die blindings voor die kafees langs die seefront? Die bootjie vol priesters in wuiwende swart gewade? Die eiland waar die Duitse wandelaars die skip verlaat het?

Johan is weg en die tuin, die pad, die strand is leeg en verlate. Ek gaan sit orent op die diwan en kyk na daardie wye blouheid, duiselig van die ruimte en die lig.

Hy het ook die hele middag weggebly. Hilde het haar werk gedoen — ek weet nie wát nie, ek weet nie wát daar in daardie eenvoudige huis was om haar besig te hou nie, maar tog het sy besig gebly. Haar sandale het haar voetstappe byna geluidloos gemaak op die plaveisel en jy het net rustige, bedeesde klanke gehoor terwyl sy rondbeweeg, iets wat neergesit word, water wat uitgegiet word, of haar stem terwyl sy met die kind gesels, so sag dat die woorde self onverstaanbaar bly waar ek lê en luister. Soms het sy selfs van my aanwesigheid vergeet waar ek lomerig op die terras of in die tuin bly sit het met 'n boek, en die blote feit was reeds 'n bewys dat sy my aanvaar het. Dan het sy in Nederlands na Julien geroep en in Nederlands met hom gepraat, saggies by haarself, want die kind sou tog nie kan verstaan nie, selfs al kon hy hoor wat sy sê. Soms het sy vir hom Nederlandse versies en liedjies gesing wat ek uit my eie kinderjare kon onthou, en wanneer hy kraai van plesier oor die ritme of die gebare, begin sy self ook lag. As ek dan nader kom of haar met 'n woord of beweging aan my teenwoordigheid herinner, word sy skielik stil, en draai weg om iets anders te gaan doen, terwyl sy die insident met haar swye probeer ontken.

Die hitte het my lui gemaak, en sedert my aankoms het ek hoofsaaklik by die huis gebly en die voorraad boeke wat ek saamgebring het, deurgewerk. Teen die agtermiddag het ek dan gaan swem en soms in die koelheid van die laatdag gaan stap, maar van my planne om die eiland te verken, het daar niks gekom nie.

Hilde het 'n skottel met amandels na buite gebring en op die rand van die terras in die skadu gaan sit om hulle te pel. Ek kon net haar geboë hoof sien waar sy besig is, die donker haarval, en die beweging van haar hande — 'n trae, rustige beweging, asof sy heeltemal opgaan in wat sy doen. Toe my skadu langs haar val oor die terras, het sy opgekyk en haar hare met haar handrug teruggestoot en geglimlag, maar haar oë het vir 'n tyd nog donker en afwesig gebly, sonder herkenning.

„Kan ek jou help?" het ek gevra.

„Dit is nie nodig nie," het sy geantwoord, maar ek het reeds langs haar gaan sit. „Johan het 'n hele sak amandels gekoop, die eerstes van die seisoen. Soms wanneer ek niks anders te doen het nie, gaan sit ek maar om daarvan te pel."

Ek het haar gehelp en ons het saam gewerk met die skottel tussen ons: dit was 'n vredige werk, sonder dringendheid. Af en toe het ons van die neute geëet, en Julien het ook oor die terras na ons toe gekruip en by ons kom sit. Roerloos het hy na ons bewegings bly kyk, en wanneer een van ons hom 'n amandel gee, het hy dit lank vasgehou voordat hy dit begin eet.

Ons stilswye het reeds 'n sekere vertroudheid en vertroulikheid ingehou, en ons het gewoond begin raak aan mekaar se teenwoordigheid. Toe ek Hilde ná die ete help om die tafel af te dek en die borde kombuis toe te bring, het sy my hulp aanvaar sonder die beleefde teëstribbeling van voorheen en my net gesê waar ek alles kan neersit of bêre.

Daardie dag het dit baie warm geword, een van die warmste dae wat ek in Griekeland meegemaak het, met lug wat gloeiend van die aarde opslaan sonder wind om dit te temper. Die bruin, versengde heuwels het in die gloed getril en die see was donker. Dit was te warm om te lees, te warm om selfs te slaap, en ook aan die strand was daar geen verligting van die hitte nie.

Hilde het die skottelgoed gewas en die afdroogdoeke uitgewas en buite opgehang, maar in die stil lug het hulle nie eers beweeg nie. Oor die plaveisel van die terras kon ek nie kaalvoet loop om te gaan water drink nie, en selfs in die erdekruik was die water lou. Daar was niks om te doen nie behalwe wag dat die skadu aangroei — langs mure, agter die rûe van die heuwels — dat die felheid van die son versag en die koel wind van die see opspring in die laatmiddag, en ons het dus bly wag, woordeloos saam in die huis en op die terras. Johan het nie teruggekom nie, en later het Hilde my gevra om vir haar water te skep omdat die vat in die kombuis leeg is. Die put het geen katrol nie, en dit is dus nodig om die emmer in die water af te gooi terwyl jy die ent van die tou wat aan die handvatsel vasgemaak is in jou hand vashou. Jy gooi die emmer onderstebo in die donker af en voel hoe dit val en kantel en vol water loop, en dan trek jy dit op met behulp van die knope wat in die tou gemaak is, emmers vol koue, helder water wat oor die rand uitstort, oor my kaal voete en die plaveisel van die terras. Ek vul die vat in die kombuis en begin dan die groente in die tuin natgooi soos ek gesien het dat Johan dit elke middag doen. Dit is rustig om so op en neer te stap tussen tuin en put, om te voel hoe die emmer swaar word en kantel, om die nat tou in jou hande te voel terwyl jy dit optrek, en die strelende, troostende bewegings te herhaal. Die het koel geword op die terras en die wind waai weer van die see. Ver weg op die water dryf daar 'n boot met wit seile.

„Sal ons 'n entjie gaan stap?" vra Hilde. „As jy lus voel, natuurlik."

Sy dra vir Julien en wil nie dat ek dit vir haar doen nie. Saam stap ons stadig met die pad al langs die see in die milde lig van die aandson met die wind wat haar hare en haar lang, los, geblomde rok uitwaai.

„Ek wonder aan wie daardie skip behoort," sê ek.

„Seker aan een van die vakansiegangers. Sommige van hulle het motorbote of seilbote."

„Dit lê so vol belofte teen die horison. Énigiets kan nou gebeur, énigiets is moontlik."

Sy kyk egter nie meer nie en stap verder, haar arms om die kind. „Daar gebeur niks nie. Die skepe seil verby — jy sien hulle soms in die verte op die horison verbygaan."

Ek bly omkyk na die slank wit seil tussen hemel en see, ver weg in die sonskyn. „Waarom sou dit nie in die hawe kom aanlê nie, mense aan wal laat..."

Sy skud egter haar kop. „Nee," sê sy beslis, „net die visserskuite kom na die hawe."

„Miskien is dit ook mooier so, dat dit verbygaan sonder dat ons iets daarvan uitvind — net 'n wit seil teen die horison."

„Soms as ek skepe in die verte sien verbygaan, is dit asof ek 'n skipbreukeling is wat vure moet aansteek en sein om hulp. Maar hulle gaan altyd verby, geeneen kom ooit hierheen nie."

„Hierdie eilandjies is seker ook te onbelangrik, behalwe vir die vissersbote."

„Ja, dit is hoe dit vir ons beskrywe is, 'n afgesonderde eiland, iets romanties, idillies..."

„Vind jý dit romanties en idillies?"

„Ek hou nie daarvan om deur die see omring te wees en gedurig daaraan herinner te word nie, oral óm jou net waar jy kyk."

„Gee dit jou engtevrees?"

„Nee, eerder rúimtevrees, vrees vir die vertes en die dieptes." Sy glimlag by haarself. „Ek hou daarvan om ingeslote te wees."

„Twee hoog agter, aan 'n grag in Amsterdam?"

Sy glimlag nog. „Ja, ingeslote deur bure en lugdrade en tremspore, waar alles onder my hand is."

„Met wasoutomatieke en fietsstallings en sigaarwinkels."

Sy lag. „En broodjieswinkels en warm bakkers." Dan breek sy af en kyk weg. „Jy dink seker dat ek 'n baie oninteressante mens is."

„Waarom sou ek?"

„'n Huisvroutjie wat in niks belang stel nie behalwe haar huis en haar gesin, wat oor niks anders kan praat nie, wat gebonde wil wees aan een enkele plek tussen vier mure."

„Ek sou dit ook wil wees as ek die plek kon vind."

Sy is 'n tydjie stil. „Ek is baie huisvas," sê sy dan soos 'n soort selfverwyt. „Oral waar ons gaan, wil ek net ons koffers uitpak en die kamers inrig vir ons verblyf. Johan is veel vryer, hy kan hom maklik losmaak — of miskien maak hy hom nooit eers vas nie. Sommige mense ís so. Ek dink dat dit beter is."

Sy verskuif die kind na haar ander arm. „Gee dat ek hom dra," sê ek.

„Nee, dit is nie nodig nie." Sy laat egter toe dat ek hom van haar oorneem, en hy sit op my heup met sy arms om my nek.

„Het julle al baie rondgetrek?" vra ek.

„Ja, nogal. Ons is in Amsterdam getroud, my vader het toe nog gelewe, en daarna het ons na Suid-Afrika gegaan. Ons het eers by

Johan se ouers ingewoon, maar dit het nie baie goed gewerk nie, toe het ons op kamers gewoon, en later het ons 'n woonstel gekry. Kort voordat Julien gebore is, het ons iemand se strandhuis naby Hermanus geleen, en daarna het ons 'n huis gehuur by Kleinmond."

„En toe, weer Amsterdam?"

„Ons was net vir 'n paar maande daar gewees, verlede winter, toe hoor ons van hierdie huis in Griekeland."

„Was dit julle bedoeling gewees om vir goed in Amsterdam te kom bly?"

Sy haal haar skouers op. „Wat is ‚vir goed'? Johan wou nie in Suid-Afrika bly nie, toe was dit natuurlik dat ons eers Amsterdam toe kom."

„En jý? Het jy van Suid-Afrika gehou?"

Sy maak 'n stadige gebaar met haar hand asof sy na die regte woord soek. „Dit is 'n land, soos Frankryk of Griekeland. Jy kan jou huis daar inrig en jou eie wêreld opbou soos in enige ander land."

„Maar jy verkies Amsterdam."

Sy wonder nie eers hoe ek dit afgelei of geraai het nie. „Wie sou dan nie?" vra sy eenvoudig.

Ons het weer omgedraai en ons skadu's is lank voor ons voete. Julien se kop rus in die holte van my nek, sy hand teen my wang.

„Hy is moeg," sê sy. „Dit was vandag te warm gewees om te slaap. Ek moet hom nou in die bed sit."

Ons stap vinniger terug huis toe. Daar het mense hier langs die pad kom wandel, mans en vroue rustig saam, en jong meisies wat onder mekaar fluister en neurie. Hulle verwag blykbaar dat ons hulle sal groet, maar wanneer ons verbystap, draai hulle hul gesigte weg. Hilde kyk voor haar uit sonder om te praat. Ek sien die wit huis op die hoogte voor my, en voel die kind se kop teen my skouer, sy warm, klewerige hand teen my wang. Aan die ander kant is dit tog ook moontlik om hier te bly, dink ek vir die eerste keer, liewer as om my met taalboek en gebare tussen onbegrypende vreemdelinge te begewe en op vreemde eilande rond te swerf, onbekend met busse en bote, op soek na hotels en kafees, alleen langs die strand in die skemer of met 'n bottel wyn op een of ander terras.

Johan was nog nie by die huis toe ons terugkom nie en het ook nie kom eet nie. Ek het Hilde ná die ete weer gehelp om die tafel af te dek, en in die kombuis het ek al geweet waar alles moet kom. Toe ek die afdroogdoek neem om die skottelgoed vir haar te droë, het sy ook geen beswaar gemaak nie, en ons het met mekaar gesels terwyl ons in die kombuis besig is, 'n onsamehangende gesprek tussen ons handelinge deur. Later op die terras het sy ook nie begin lees nie, maar by my kom sit in die donker.

„Voel jy nie ongerus as Johan so laat wegbly nie?" vra ek.

Wanneer sy antwoord, is haar stem gedemp en afgetrokke, byna onwillig. „Wat help dit om ongerus te voel?"

„Daar sou iets met hom kan gebeur het."

„Ek weet, maar wat kan ek doen? Hy kom in die nag terug — as hy eendag nié terugkom nie, sal ek begin dink aan wat ek moet doen."

„Gaan hy alléén swem?"

„Hy gaan duik, onderwaterswem, wat nog gevaarliker is as jy alleen is. Daar kan allerhande dinge met jou gebeur, jy kan jou oriëntasievermoë verloor . . . Maar hy verkies om alleen te gaan."

Aan die toon van haar stem is dit duidelik dat sy nie daarvan hou om hom so met iemand anders te bespreek nie. „Dit spyt my," sê ek, „dis nie juis 'n baie taktvolle gesprek wat ek begin het nie."

„O toe maar, ek het al honderde kere dieselfde dinge gedink; daar is niks wat kan gebeur wat ek nie reeds verwag nie. Wanneer jy alleen is, het jy baie tyd om te dink."

„Kry julle dan nooit mense hier nie — kuiergaste bedoel ek?"

„Jý is die eerste. In Suid-Afrika het ons dikwels besoekers gehad, mense wat uit Kaapstad kom vir naweke, maar Johan het dit hinderlik gevind, en ek is ook nie 'n baie goeie gasvrou nie. Maar ons verwag nou iemand," voeg sy dan by, „ons eerste besoeker. Aanstaande week, met die skip van Piréus."

Die nuus, wat ek nou vir die eerste keer hoor, verras my. „Wie is dit?"

„'n Suid-Afrikaanse meisie wat ek in Parys geken het; sy het daar gewerk en ons het 'n kamer gedeel. Sy het baie Suid-Afrikaanse vriende gehad, en dit is deur haar dat ek Johan ontmoet het. Sy het na Kanada gegaan toe ons uit Parys weg is, maar nou is sy weer in Europa, sy ryloop van Duitsland."

„Dit sal geselskap wees vir jou."

„Ja, ek is baie bly dat sy kom. Ek het haar nooit weer gesien sedert daardie tyd nie — ons was baie gelukkig gewees saam in Parys. Sy het my die koffiepot gegee wat ons hier gebruik." Dit herinner haar aan iets anders. „Sal ek gaan koffie maak?" vra sy.

„Ons kan wyn drink, altans ék kan. Wil jy ook hê?"

Sy dink daaroor na. „'n Halwe glas," sê sy, en ek skink vir ons wyn.

„Ek het self ook oor my verdere planne gedink," sê ek toe. „As jy iemand verwag, is dit miskien die beste as ek terselfdertyd ook gaan."

„Waarheen dan?" vra sy.

„Na 'n ander eiland, ek weet nog nie presies nie."

„Maar waarom so gou al?"

„Dis waarskynlik die gerieflikste as daar iemand anders kom."

„Daar is tog genoeg plek, Elsa kan by my in die kamer slaap . . ."

„Ek voel in elk geval ook skuldig oor die manier waarop ek my uitgenooi het. Cynthia het voorgestel dat ek hierheen kom, toe skryf ek vir julle sonder om eers na te dink oor wat ek doen."

„Jy moet nie dink dat jy nie welkom is nie," sê sy.

„Dis nie 'n kwessie van welkom wees of nie."

„Ek het jou gesê dat ek nie 'n goeie gasvrou is nie. Ek kan nie mense onthaal nie, ek kan nie dinge met hulle doen nie."

„Jy sou my baie ongemaklik laat voel as jy moes probeer om my te onthaal."

„En Johan . . ." Sy soek na die regte woorde, versigtig en met moeite, as verdediging teen onuitgesproke kritiek. „Ek het al vir jou gesê hoe Johan is, maar ek verduidelik nie baie goed nie. Hy leef intens in sy werk, en dit is iets wat jy moeilik met ander mense kan deel, dit is so persoonlik . . ."

„Ek wil hom nie kritiseer nie."

„Mense verstaan nie, hulle sou miskien dink, jý sou miskien dink . . ." Sy word verward in haar gedagtes en haar woorde. „Jy sou miskien kan dink dat jy nie welkom is nie, dat ons jou nie hier wil hê nie, maar jy moet dit nie dink nie."

„Ek verstaan dit, jy hoef nie verskonings te probeer maak nie. Dis nie 'n kwessie van gasvryheid nie; die feit is net dat julle geen behoefte aan ander mense het nie."

„Elkeen het behoefte aan ander mense," sê sy stadig, „maar sommige vind dit moeiliker om dit uit te druk of verberg dit beter. Johan . . ." Sy klink ongelukkig, soos altyd wanneer sy met my oor hom praat. „Johan ook, maar hy wys dit nie. Miskien besef hy dit nie eers nie." Dit is duidelik dat dit haar inspanning kos om hierdie persoonlike dinge teenoor 'n buitestaander te sê. „Dit is waarom ek so bly was toe jy skryf en vra of jy hierheen kan kom, dat daar iemand sal wees as geselskap vir Johan."

„Ek kan my geselskap tog nie op hom afdwing as hy nie daarom vra nie," sê ek. „En bowendien kom jou vriendin nou ook."

„Johan en Elsa het nooit baie goed met mekaar oor die weg gekom toe ons nog in Parys was nie. Ons kon trouens nooit mekaar se vriende waardeer nie, ek het byvoorbeeld nooit soveel van Cynthia gehou soos Johan nie."

Sy praat baie saggies, asof dit nie eers saak maak of ek hoor wat sy sê nie. „Ek weet in elk geval nie of dit sin het om te bly nie," sê ek. „Ek het gedink ek kan miskien 'n paar ander eilande besoek, dalk Turkye . . ."

„Ek wens jy wil bly," sê sy toe. „Ek bedoel, nie as jy nie wíl nie, as jy regtig liewer wil weggaan. Ek sê dit alles so onhandig, maar ek wens jy wil nie nóú al weggaan nie. Mense het mekaar nodig, in die begin is almal vreemdelinge, maar later slyt die vreemdheid af. Soms, in elk geval."

Ek staan in die donker en luister na die geruis van die see, en gaan nie weer vir my wyn skink nie. „Ek dink ek gaan maar slaap," sê Hilde, en neem ons leë glase op.

„Ek sal seker ook."

„Arme Ruud," sê sy, „jy verwag die hele aand iets, al sedert jy die seilskip gesien het, en nou is die aand verby en daar het niks gebeur nie."

Ek lag. „Dalk het daar, en het ons dit net nie herken nie. Maar toe maar, daar is nog ander aande, nog ander dae."

„Ja," sê sy nadenkend, en knik. „Wel te ruste, Ruud," sê sy dan, en draai om na die donker huis.

Ek het gaan stap, blindelings deur die vaal land met sy stofpaaie, sy klipmure en verre bergerye. In die verte kon ek boerehuisies sien tussen vyebome, wingerde of klompe riet, maar slegs af en toe het ek iemand teëgekom, te voet of op 'n esel, wat my groet sonder verbasing oor die vreemdeling op hul paaie.

Blindelings het ek die gang van die pad gevolg sonder om te weet waar ek stap: ek moes verder gaan, asof ek gedryf word na 'n doel wat steeds onsigbaar bly, êrens óm daardie draai of anderkant daardie bult. Soms gryp so 'n rusteloosheid jou beet oor elke verskansing waaragter jy jou teruggetrek het; soms stap jy ure lank langs blinde strate, verby geslote vensters, langs eenderse rye huise wat hulle oneindig herhaal in die grouheid van die dag. Jy stap en luister na die ritme van jou voetstap op die plaveisel; jy dink nie meer nie, en die opeenvolging van park en plein, van brug en grag gaan ongemerk verby terwyl jy verder gaan, voortgaan. Maar die eindpunt word nooit bereik nie, word selfs nie eers sigbaar in die verte nie: die tog word 'n kringloop, en jy keer terug na die deur waarvan jy vertrek het.

Ek het by 'n dam langs die pad bly staan en op die muurtjie geleun met my hande in die water terwyl ek kyk na die weerkaatsing van die helder hemel. Dit was op die hitte van die dag en ek het geen mense meer gesien nie, die huisies teruggetrokke in hul digte skadu. In 'n wingerd het ek 'n tros druiwe gepluk waar dit laag op die grond in die stof groei, teen die aarde aan, en ek het die soet druiwe geëet terwyl ek verder loop. Net een maal het ek kinders buite 'n oop voordeur onder bloekombome sien speel. Die ou man wat by hulle sit, het my gegroet, en die kinders het hulle spel laat staan en na die pad gehardloop om my op 'n ry aan te staar. „*Bye bye! bye bye!*" het hulle my in Engels toegeroep, woorde wat hulle seker by een of ander verbygaande toeris geleer het, maar die ou man het hulle na die huis teruggeroep, en ek kon hoor hoe hy hulle in Grieks berispe. „*Bye bye, bye bye,*" het hy afkeurend herhaal.

Die eiland was wonderlik mooi met sy berge, sy barheid en skielike kleur, maar die skoonheid daarvan het nouliks tot my deurgedring. Dit is reeds middag, het ek aan son en skaduwees geskat, tyd om terug te keer na die huis, maar ek het langs die kronkelende paaie my rigting verloor, sodat ek 'n heuwel moes klim om die see te vind, en ek het dwars oor die velde daarheen gestap. Toe het ek met my sandale in my hand die kuslyn gevolg, met my voete in die water waar dit oor die sand uitspoel.

Die een wit strand het die ander vervang, die laaste teken van menslike besoek uitgewis soos die afdruk van my voete wat agter my opgevul word met water en oplos in die gespoel van die golwe. 'n Tong van land en rotse het 'n baai afgesluit, en dan, wanneer jy oor rotse en duine klim, het die ongerepte wit strand van die volgende baai voor jou gelê. Dit kan nie meer ver wees nie, het ek gedink, maar ek was te moeg om bly te wees oor die wete; en toe het ek die strand verlaat en al langs kranse skielik by 'n wit kerkie uitgekom en die hawe bereik waar die kinders op die strand speel; die hawe en die stofpad teen die heuwel op, en die huis waar Johan in ou, verfbesmeerde klere in die werkkamer besig is en Hilde in die tuin sit met Julien.

„Het jy gaan stap," vra sy, „of het jy verdwaal?"

„Albei, ek weet nie presies nie."

„Is jy nie honger nie?"

„Ek het langs pad vrugte geëet."

Sy praat in 'n bedeesde stem, bang om Johan te hinder terwyl hy werk. „Sal ek die tuin natgooi?" vra ek. „Johan is in elk geval besig."

„Ja, miskien sal dit goed wees as jy solank begin. Is jy nie moeg nie?"

Ek het egter reeds die emmer geneem om dit in die donker water te laat val. Ek was byna klaar met die werk toe Johan na buite kom en na my kyk asof hy sy gedagtes van ver weg moet terugdwing om te onthou wie ek is en waarom ek hier is.

„Waarom doen jy dit?" vra hy.

„Jy was besig . . ."

„Maar dis tog nie nodig nie, Hilde kon my geroep het."

„Ek gee nie om nie, dis vir my lekker werk."

„Ek sal dit klaar maak," sê hy, en neem die emmer uit my hand.

„Ek is tog al klaar."

„O," sê hy, en dan draai hy om om die emmer weg te sit. „Dit was nie nodig gewees nie," herhaal hy nog.

Hilde het 'n bak amandels op die tafel gesit en Johan het glase en die kan wyn gaan haal. „Hoe het dit vandag gegaan?" vra sy hom.

Hy skud sy kop sonder om op te kyk en sy donker hare val oor sy gesig; dan ruk hy sy kop agteroor om die hare uit sy oë te skud. Hy gaan weg en ek hoor die geluid van water in die kombuis waar hy hom was. Wanneer hy terugkom, het hy skoon klere aangetrek, geel hemp en ligte broek, en sy hare is gekam.

Die lang, vormlose dag kom tot 'n einde en 'n soort vrede keer terug, die verspreide skerwe saamgevee. Die hitte is oor en die tuin is versadig, die lug koel en soet. Dit is asof Johan aarsel, glas in die hand, waar hy by my staan, maar hy sê niks nie. Nou eers begin ek voel hoe moeg ek is ná die lang tog van die dag, en ek leun agteroor met my bene voor my uitgestrek, reeds lomerig van die wyn. Ek merk nouliks hoe Johan van my weggaan, af met die voetpaadjie na die see, sy helder hemp kleurloos in die skemer en die klank van sy sandale gedemp in die sand.

Eensaamheid spoel na my aan soos water, droefheid wat opgeroep word deur die skemer en die drank, hier waar ek alleen agterbly het by die tafel op die terras, met Hilde wat êrens in die huis besig is en die klank van Johan se sandale verstil op die sanderige paadjie na die kus. Nou is die dag verby, die lang wandeling voltooi, die paaie donker en verlate in die someraand. Ek het teruggekeer na die huis, die terras, die tafel.

Ek kyk om na die huis agter my en sien slegs die dowwe lig van die lamp in die slaapkamer. Met die glas in my hand staan ek op om na die rand van die terras te stap en te kyk of ek die ligtheid van Johan se klere nog kan sien, maar hy het reeds verdwyn. Wanneer ek voetstappe teen die steilte hoor opkom, draai ek om en bly wag op sy terugkoms, maar terwyl die klank nader kom, kan ek hoor dat dit nie hy is nie. Dit is die ou man van die huis agter die bult wat weer hier stilhou om op sy kierie te leun en asem te skep vir die lang klim boontoe. „*Chérete*," groet hy my, en ek antwoord hom en wag dat hy moet gaan, maar hy het blykbaar besluit om te kom gesels en tik met sy kierie oor die terras na my toe terwyl hy iets vra. Ek skud my kop en beduie met my hande dat ek nie kan verstaan nie, maar hy laat hom nie ontmoedig nie, wys na die huis, maak of hy skilder, beduie na die dorp en slaan 'n denkbeeldige glas wyn weg terwyl hy lag oor sy eie vindingrykheid.

Wil hy wyn hê? wonder ek en lig die kan vraend op. Klaarblyklik wil hy, en terwyl ek in die kombuis 'n glas gaan haal, sak hy moeisaam op 'n stoel neer met sy voete ver uitmekaar en sy kierie in sy hand asof hy hom vir die hele aand daar vestig. Hy wil seker verduidelik dat hy Johan teëgekom het op pad na die kafee by die hawe, besef ek dan terwyl hy sy wyn drink en verder beduie sonder dat ek kan volg. Hy maak swembewegings en boots slaap na, wys omhoog, en lag weer, en ek knik met 'n beleefde glimlag en wonder of hy lank gaan bly. Ek sou óók na die kafee kan gaan en daar tussen ander mense gaan sit in plaas van alleen hier op die terras, dink ek, maar die ou man het geen haas om terug huis toe te gaan nie, waar sy vrou waarskynlik op hom sit en wag. Ek wil drink, maar ek kan nie my glas vul sonder om ook vir hom te skink nie, waardeur ek hom net aanmoedig om te bly. Hy begin ook meer opgewek word: die gebaretaal verveel hom reeds gou, en hy gaan oor in een of ander lang verhaal in Grieks. Hy vertel met geesdrif, asof hy dit alles nog voor hom sien gebeur, en beduie met skitterende oë, 'n grysaard wat in sy jong jare seker mooi was, maar nou slegs oud en armoedig is in sy verkleurde boeredrag, die wit hemp groeselig en die broek dofgroen van die ouderdom. Dan kyk hy my ondersoekend aan. „*Nè, nè*," beaam ek en knik, en hy kap met die boom van sy glas op die tafel, blaf een of ander heildronk uit, en lig die glas versigtig na sy mond.

Hilde het hom waarskynlik gehoor en kom nie na buite nie; Johan bly weg. Ek sit op die terras en luister na die eindelose verhaal waarvan ek geen woord kan verstaan nie.

Ek kon die voorbereidsels vir Elsa se koms merk — moontlik is „voorbereidsels" nie die regte woord nie, want Johan en Hilde se lewe op die eiland was so eenvoudig dat daar min was om voor te berei, maar aan Hilde se kant was daar in elk geval 'n duidelike afwagting, en haar stilte terwyl sy in die huis besig was, was toegespits op iets wat gaan gebeur.

Dit was stil hier by die huis. Net kon ons soms uit die verte die geluid van stemme hoor waar die kinders op die strand speel en 'n bal na mekaar gooi, van hand tot hand in die laggende kring. 'n Moeder roep van die skadu van die kafee na 'n kind wat te naby die water gaan, en die ou man wat pere vent, roep mistroostig terwyl hy sy eseltjie teen die hoogte op lei, verby die somervilla's, verby die wit huis waar die sonlig gevlek oor die terras val deur die druiweprieel en ek in die skadu lê en uitkyk, lê en wag, loom in die koesterende hitte, asof daar tóg nog iets sal gebeur om my die moeite van vertrek te bespaar. Die kleure van die dag brand in die sonlig, die bal gloei helder waar die laggende kinders dit van hand tot hand gooi, totdat hulle teruggeroep word na die skadu. Ek draai om op my gesig en bly onder die prieel lê.

Met die groeiende koelheid van die aand begin Johan die tuin natgooi sonder dat hy my hulp vra of ek dit aanbied. Hy het die hele dag in die werkkamer deurgebring, verf op sy hande en in sy hare, en wanneer hy klaar is in die tuin, gaan hy sy hare was, knielend by 'n plastiekskottel op die terras terwyl Hilde help om met terpentyn die verf te verwyder. Dit is die eerste keer dat ek hulle in so 'n intieme, vertroude handeling verenig sien, maar ten slotte is hulle tog ook getroud, haar breë ring flits in die lig, hulle deel 'n lewe van Parys, Amsterdam, Kaapstad en hierdie eiland, deel kennis en geheime, en weet sonder noodsaak vir woorde die onuitgesproke dinge wat daar tussen mense kan bestaan.

Ek is warm en sweterig na die lang dag rondlê en niksdoen; gaan swem en laat hulle saam op die terras, trek skoon klere aan en gaan stap langs die pad in die koel verkleuring van die aand, talm langs die see en keer langsaam en met 'n ompad terug, af na die hawe waar die leë strand glinster in die lig, en na die kafee langs die water met sy tafeltjies en stoeltjies onder 'n afdak van verdroogde palmtakke. Daar is niemand hier nie behalwe die kinders wat kaalvoet in die stof tussen die tafeltjies rond speel, maar 'n seuntjie kom vraend by my staan en ek bestel wyn. Hy bring dit vir my in 'n groot kopermaatbeker, met 'n skotteltjie pampoenpitte en sonneblomsaad om daarby te eet, en ek wag in die koelheid van die aand hier aan die rand van die water terwyl ek die soet, heuningkleurige wyn van die eiland drink. So sal dit ook wees op 'n ander eiland wanneer ek uiteindelik vertrek, môre, oormôre of later, een van die eilande wat soos blomme in die water drywe, dobberende kranse met mooi name, Páros en Ios, Tílos en Kíthnos; só, en nie anders nie.

Later het ek Johan sien aankom: ek kon sy geel hemp nog in die kwynende daglig herken. Hy stap oor die strand na die kafee toe en staan reeds onder die afdak van verdorde blare voordat hy my sien. Vir 'n oomblik aarsel hy voordat hy tussen die tafels deur na my toe kom.

„Ek het nie geweet dat jy hierheen kom nie," sê hy.

„Dis vanaand die eerste keer."

„Dis mooi hier, veral hierdie tyd van die aand."

Hy bly staan met sy hand op die rug van 'n stoel, en dan bring die seuntjie wat my bedien het nog 'n beker wyn en 'n glas wat hy woordeloos op die tafel neersit. Blykbaar weet hy al uit ondervinding wat Johan wil hê. Johan trek die stoel terug en gaan sit oorkant my.

„Het jy darem die verf uit jou hare gekry?" vra ek, en hy lag.

„Ek is baie slordig wanneer ek werk — eintlik in die meeste dinge wat ek doen. Verf op alles, sigaret-as op alles . . . Hilde ly daaronder. Sy het 'n baie sterk Hollandse netheidsin."

Wanneer hy lag en sy gebruiklike afgetrokkenheid verdwyn, lyk hy jonk en byna weerloos. Hy probeer nou om vriendelik te wees, en ons sit welwillend en beleef 'n gesprek aan die gang en hou.

„Gaan dit goed met die werk?" vra ek, alhoewel ek daagliks hoor hoe Hilde hom aan tafel dieselfde vraag vra en hy altyd ontwykend antwoord.

„O, dit gaan traag, dit sukkel al sedert ons Griekeland toe gekom het, of langer nog."

„Miskien moet jy eers aan Griekeland gewoond raak."

„Aan Griekeland of myself of iéts, ek weet nie. In Amsterdam kon ek nie werk nie met die kamers vol nat wasgoed en Julien wat skreeu en die bo-bure se kinders wat heeldag heen en weer hardloop bo my kop — ek kon nie 'n ateljee kry nie, toe het dit soos een of ander hemelse gawe gelyk, die kans om hierheen te kom. Maar ek dink dat ek hier te lui raak, dis te rustig en lomerig."

„Is jy dan so afhanklik van jou omgewing?"

Hy knik. „Ja, van stilte en lawaai, ander mense, vriende, gesels met iemand of stilbly, uitgaan. Dit was seker onbesonne gewees om op een van die mees afgesonderde Griekse eilande te kom sit, maar ek het impulsief besluit en Hilde hou my nooit teë nie, sy gaan saam met alles wat ek wil doen sonder om haar te versit, hoe onbesonne dit ook is."

„Die lewe hier het tog ook sy voordele — om so op 'n eiland te lewe, in die sonskyn . . ."

„Jy kan maklik praat; as jy lus voel, kan jy weer die boot haal en teruggaan."

„Jý kan ook," sê ek.

„Nie so maklik nie, ek is nie so vry soos jy nie."

Hy drink vinniger as ek en roep reeds die seuntjie om nog wyn te bestel.

„Vroeër, toe ek nog op skool was, het ek baie oor Griekeland gedroom," sê hy. „Dit was een van die lande wat ek altyd wou sien, wáárom weet ek self nie. Dalk het ek êrens verhale uit die mitologie gelees of so iets, ek weet nie meer nie."

„En is jy teleurgestel met die werklikheid?"

„Ek kan nie eintlik oordeel nie, ek het nie genoeg van die land gesien nie. Ek wou altyd Olúmpos sien, en die berg Ida, en die grot op Kreta waar Zeus gebore is — o, honderde dinge."

„Ek het net die Akrópolis gesien toe ek in Athene was op pad hierheen, maar selfs dit was 'n mooi ondervinding, ten spyte van die toeriste en die mans wat foto's maak met die Párthenon op die agtergrond."

Hy glimlag. „Ek het dit net van ons hotel gesien — ons was maar vir een dag in Athene gewees. Die heuwel met sy geboue wat oprys uit die stad . . ."

„Daar is 'n ander mooi heuwel net oorkant die Areopaag, waar niemand ooit kom nie. Jy klim op deur 'n dennewoud, en wanneer jy bo kom, is daar net 'n paar marmerbrokstukke in die sonskyn, en die hele stad lê onder jou met die see in die verte."

„Ek was ook op daardie heuwel gewees," sê Johan. „Jy wil nog wyn hê," voeg hy skielik by. Ek probeer dit ontken, maar reeds roep hy na die seuntjie.

„Ek het genoeg gehad," sê ek.

„Net één beker, dis tog nie so veel nie."

„En was dit vir jou mooi, die heuwel?"

„Dit was my eerste kennismaking met Griekeland. Hilde wou ná die treinreis by die hotel bly, maar ek kon nie rus nie. Die Akrópolis was net bokant ons hotel, maar ek wou nie daarheen gaan nie, dis iets wat toeriste doen, toe gaan ek na daardie heuwel en klim op tussen die dennebome deur. Dit was so stil gewees, met net die sonbesies wat skreeu, en ek het lank daar bly sit in die sonskyn. Daar het niemand anders gekom die hele tyd dat ek daar was nie, dit was my mý alleen gewees."

„Daar was Franse mense gewees toe ek daar was, maar hulle het gou weggegaan, toe het ek ook alleen gebly."

„Dis die beste, om so alleen gelaat te word en met rus gelaat te word, sóms, in elk geval."

„Soms, ja."

Johan skink wyn. „Snaaks dat ons dieselfde ding gedoen het in Athene, op daardie heuwel gaan sit, terwyl al die toeriste rondhardloop na die Akrópolis en die Pláka en die Nasionale museum."

„Dis juis hoekom ek dit gedoen het, om nie deur al die ander buitelanders verpletter te word nie."

„Al die Amerikaners wat Griekeland toe stroom."

„Die Franse is nog erger."

„Hier op die eiland sien mens gelukkig amper nooit buitelanders nie, net af en toe 'n paar verdwaalde jongmense met rugsakke."

„Laat dit jou nie afgesonderd voel nie?"

„Die plaaslike mense is baie vriendelik as jy toenadering soek, en as jy dit nie wil hê nie, laat hulle jou met rus."

„En is dit genoeg vir jou, die boere en vissers?"

Hy haal sy skouers op. „Ek weet nie — vroeër, in Suid-Afrika, het ons altyd 'n huis vol mense gehad en 'n klomp drukte en lawaai, maar niemand sê ooit iets nie, daar gebeur nooit iets om dit die moeite werd te maak nie. Jy raak teleurgesteld in ander mense." Hy kyk weg na die see terwyl hy praat en speel met sy glas. „Hilde is ook nie so lief vir onthaal nie, dis tyd dat ons ons terugtrek en 'n bietjie tot rus kom. Ek moet op my werk konsentreer, al doen ek dit nou ook nie eintlik nie. Ek weet nie, ek kan nie eers sê wat my bedoeling was toe ek besluit het om hierheen te kom nie, ek het jou mos gesê dat dit onbesonne en ondeurdag was. Ons het hierna toe gekom om uit Amsterdam weg te kom, ons is Amsterdam toe om weg te kom van Suid-Afrika, die hele ín-wêreldjie van die kuns en die Kaap. Ek is Parys toe as student om van my familie te ontsnap, en toe ek Hilde ontmoet, het ek op die punt gestaan om Noord-Afrika toe te gaan as reaksie op Parys. Ek is sommer rusteloos."

„Ek het ook al daaraan gedink om Noord-Afrika toe te gaan," sê ek; „Marokko of Tunisië..."

„Die woestyn is mooi," sê hy ingedagte. „Jy kan maklik genoeg van Piréus af Afrika toe gaan, jy sou vir die winter uit Europa kan wegkom."

Dit het al heeltemal donker geword, maar hier buite op die terras het hulle nog nie die lig aangeskakel nie. „Nog wyn," sê Johan, maar ek staan al op.

„Nee, dis tyd om te gaan."

„Waarheen dan?" vra hy.

„Huis toe, Hilde wag al met die aandete." Hy beweeg egter nie. „Kom jy?" vra ek.

„Nee, ek dink ek bly sit nog 'n rukkie hier."

„Moet ek vir haar sê dat jy later kom?"

„Jy hoef niks te sê nie. Hilde is gewoond aan my kom en gaan."

Ek wag nog, maar hy bly by die tafel sit met sy glas in sy hand. „Tot siens," sê ek dan en draai om om weg te stap. „Tot siens," sê hy. In die donker stap ek teen die hoogte op, terug na die huis, verby die laaste ligte vensters van die dorpie. Op die terras langs die water word die ligte dan ook aangeskakel, maar wanneer ek om die draai in die pad gaan, kan ek die kafee nie meer sien nie met sy tafeltjies en stoeltjies waar Johan alleen bly sit. Ek hoor die geluid van 'n grammofoon wat êrens begin speel, maar dit word geleidelik ook stil in die donker agter my.

Hilde skud die tafeldoek uit en die oggendwind laat dit uitbol in haar hande; haar los, helder somerrok wapper. „Dis nou nog lekker," sê sy. „Dit begin so vroeg al warm word, dan kan jy niks meer doen nie."

„Ek dink ek gaan vanoggend strand toe," sê ek.

„Dis jammer dat Johan weer begin werk het, jammer vir jóú, bedoel ek, nou dink hy aan niks anders nie. Anders sou hy jou kan rondneem en plekke wys."

„Dis nie nodig nie, ek het nie so 'n behoefte daaraan om besig te bly nie."

„Ek het gedink dat jy jou miskien verveel."

„Ek hou van die rustigheid. Dit voel asof ek al weke lank hier is."

„Ja, elke dag lyk dieselfde, en later kan jy nie eers meer die weke en die maande onderskei nie. Die lewe begin 'n ander ritme kry." Versigtig vou sy die tafeldoek op, haar rug na die wind. „Wil jy miskien saamkom as ek met Julien see toe gaan?" vra sy. „Dan kan ons na een van die strande verder op stap. Dis daar baie mooi."

Terwyl ons die handdoeke en boeke wat ons wil saamneem, bymekaarmaak, kom Johan na buite, duikmasker en swemvinne in die hand. „Gaan jy swem?" vra hy my. „Voel jy dalk lus om met my saam te kom?"

„Ek gaan met Hilde af strand toe."

„Ek gaan na die kranse."

„Ruud kan tog met jóú ook saamgaan, Johan," sê Hilde waar sy besig is om Julien se sandale aan te trek, maar hy stap reeds weg.

„Ek het net gedink hy wil vanoggend miskien saamkom as ek gaan duik, hy kan altyd nog 'n ander keer." Hy praat so afgetrokke dat ek nie eers verplig voel om nog iets te sê nie.

Hilde kyk onseker van hom na my. „Gaan jy nie vandag werk nie?" vra sy Johan terwyl sy die gespes van Julien se sandale vasmaak.

„Nee, ek dink nie so nie, nie meer nie. Ek het al taamlik veel gedoen."

Met sy handdoek oor sy skouer gaan hy langs die voetpaadjie af na die see. Ek neem Julien op my arm en Hilde volg met die strandtas, af na die wit strand en al langs die water, oor die rotse waar ek moet bly staan om Hilde te help, en langs 'n duinhelling af na 'n tweede strand wat verlate voor ons oop lê. „Ek het hier nog nooit iemand gesien nie," sê Hilde. „Gewoonlik kom ek nie hierheen nie, dis vir my te eensaam, te ver van die huis."

Ek gaan na die see toe en Hilde sprei 'n handdoek oop in die rukkerige wind en begin lees. Wanneer ek terugkom, kyk sy nie op van waar sy lê nie, haar boek in albei hande teen die geruk van die wind. My eie boek val uit my hand wanneer ek dit wil oopmaak, en ek bly daar lê en kyk na die son en die strand en volg Julien se bewegings waar hy óm ons rond speel. Hy is 'n stil kind wat hom met groot erns in dinge verdiep en selde huil of lastig is. Eers was hy teruggetrokke gewees teenoor my, maar hy het gewoond geraak aan my teenwoordigheid, en hy hardloop nie weg wanneer hy sien dat ek na hom kyk nie, maar kom die skulpies wat hy bymekaargemaak het aan my gee wanneer ek my hand na hom uitstrek. Ek staan op om meer skulpe te vind, en hy volg my; aandagtig bly hy kyk waar hy langs my neerhurk om te sien hoe ek hulle bymekaar soek. In die nat sand langs die water waar die gety nou begin afloop het, druk ek hulle in patrone vir hom vas, en hy kom met nóg aangedra. Dit is rustig hier langs die see, en ek dink nie eers meer aan wat ek doen nie. Ek kyk uit oor die glinsterende golwe, en eers ná 'n tyd sien ek dat Johan na ons toe geswem het al langs die kus, óm die rotse wat die strand afbaken, en nou opstaan om na ons toe te stap deur die vlak water. Hy bly staan om sy swemvinne af te trek; die duikmasker hang los om sy nek.

„Ek het nie geweet of julle nog hier sal wees nie," groet hy.

„Is dit so laat?"

„Ek skat so. Die son staan al hoog."

Julien het na hom toe gegaan en staan nou teen hom aan waar hy bly kyk na wat ek met die skulpe doen.

„Probeer jy 'n woord maak?" vra hy.

„Sommer net letters. Ek kan nie aan 'n sinvolle woord dink nie."

„Hoekom moet dit sinvol wees?"

„Seker omdat ek skuldig voel dat ek self so lui en sinloos hier rondlê."

Hy kniel langs my op die sand en neem 'n handvol van die skulpe wat Julien my gebring het. „Kan jy dit dan nie net geniet nie, sonder skuldgevoelens?"

„Ek kan nie so in die oomblik opgaan nie. Ek is seker te duidelik bewus van my erfsonde, ek kan nie die las daarvan afskud nie."

Johan lag saggies terwyl hy begin om die skulpies in die nat sand vas te druk. „Jy sal goed met Elsa oor die weg kan kom, sy is ook so 'n verbete Calvinis, vol ernstige gedagtes oor skuld en sonde en verlossing. Ek het altyd rusie met haar gekry op partytjies wanneer ek te veel gedrink het en haar opvattings begin aanval."

„Wil jy mýne ook probeer aanval?"

Hy antwoord nie terwyl hy 'n patroon begin vorm in die sand. „Jy bereik niks met aanval nie," sê hy dan ingedagte. „Ek was toe nog jonk gewees. Gaan haal vir my nog skulpe, Julien," voeg hy by vir die kind wat weer langs ons hurk om te kyk, maar hy verstaan nie en ek gaan dus op die strand vir hom skulpe soek. Hilde het haar boek neergesit en kyk van op 'n afstand na ons waar ons aan die rand van die water besig is, so ver weg dat sy nie kan sien wat ons doen nie.

Johan aarsel voordat hy die sand weer glad stryk en die skulpies uitsoek, en dan begin hy langsaam sierskrifletters uitlê terwyl ek en Julien kyk: 'n N, 'n O, 'n U. Met skulpies van ander kleure druk hy dan 'n blompatroon óm die letters vas.

„Is dit al?" vra ek.

„Dis genoeg."

„Is dit Afrikaans?"

„Ja, sommer 'n gewone Afrikaanse nóú."

„In die sin van smal?"

„Is dít jou eerste assosiasie? Nee, in die sin van hierdie oomblik — die son, die see, die wind wat waai, hierdie sand en skulpe; sommer net aanvaarding van alles, sonder skuld of onsekerheid of twyfel. Sonder erfsonde."

„Soos Julien," sê ek. Ons werk het die kind weer verveel en hy kruip agter iets anders aan, maar Johan het heeltemal opgegaan in wat hy doen en kyk nie eers weg van die skulpe wat hy uitsoek nie.

Sonder dat ons dit merk, het Hilde opgestaan en langs die strand na ons toe gekom. „Wat doen julle?" vra sy.

„Ons probeer vir Julien amuseer," sê Johan.

„Julien neem heeltemal geen notisie meer van julle nie." Sy bly agter ons staan om te kyk na wat Johan doen. „Wat beteken dit?" vra sy.

„Niks nie, sommer 'n woord. 'n Oefening in Jugendstil." Hy kyk daarna en gooi die skulpe wat hy nog in sy hand het uit na die see. „Ek sê juis vir Ruud dat hy en Elsa waarskynlik goed met mekaar oor die weg sal kom. Dink jy nie so nie?"

„Elsa? Miskien wel. Sy is 'n interessante mens, sy weet baie dinge, sy stel belang in baie dinge..."

„As jy gewillig is om haar gebrek aan humorsin deur die vingers te sien."

„Jy sê dit net omdat jy haar nie goed genoeg ken nie." Sy kyk na Julien om seker te maak dat hy nie te ver in die water ingaan nie.

„Dis nou al járe gelede dat ek haar laas gesien het. Mens weet nie hoe sy verander het nie."

„Ja," sê Hilde terwyl sy wegdraai na die kind. „Dis tyd dat ek Julien huis toe neem," sê sy. „Kom julle ook?"

Sy begin die dinge wat sy strand toe gebring het, weer bymekaarmaak, die handdoeke, haar boek, die tas. Johan buk om sy masker en vinne op te tel. „Was jy by die kranse gewees?" vra sy hom.

„Ja, ek het 'n tyd lank daar geduik, toe besluit ek om hierheen te kom."

„Weet jy of daar vir ons pos gekom het?"

„Ek was nie by die huis nie, ek het óm die hawe hierna toe geswem. Watter pos verwag jy dan?"

„Ons het lank laas koerante of tydskrifte gekry."

„Verlede week nog, en daarvóór was daar briewe uit Suid-Afrika gewees."

„Ek glo nie dat die posbode elke dag die pos aflewer nie. As dit te warm is of as hy nie lus voel nie, laat hy dit net staan.” Sy kyk nog rond om seker te maak dat sy niks vergeet het nie. „Kom jy ook huis toe, Johan?” vra sy.

„Ja,” sê hy. „Jy het nie dalk sigarette by jou nie?”

„Ek het nie saamgebring nie, ek het nie geweet jy kom hierheen nie. Sal jy vir Julien dra?”

Ek het by die skulpe bly sit. „Kom jy nie?” vra Johan, met Julien op sy arm.

„Ek sal nog 'n rukkie hier bly.”

Hy bly staan. „Ons sal seker oor 'n halfuur of so eet,” sê Hilde, „maar jy hoef jou nie te haas as jy hier wil bly nie, Ruud.”

„Ek sal voor dié tyd terug wees,” sê ek, en Johan stap verder en dra Julien teen die helling van die duine op met Hilde wat hulle volg. Aan die rand van die water waar die sand nat glans in die aflopende gety bly ek met die skulpies speel. „Nou” lees ek in die vlegtende skulppatroon wat Johan daar gemaak het, en doelloos probeer ek dit naboots: „hier” spel ek uit met skulpies in die sand, hiér en nóú, hierdie wye strand waar ek alleen sit in die sonskyn aan die rand van die ruisende see, die blou van die dag, die hoë lug, en Johan en Hilde wat al verdwyn het op pad terug huis toe. Johan sal hom gaan aantrek en die wynkan en die glase haal, Hilde sal die tafel dek en die kos maak, en hulle sal tussendeur saam oor toevallige huishoudelike dinge gesels, terwyl Julien lomerig word en wag om gevoer te word en te gaan slaap. Ek kan egter nie die sierlikheid van Johan se letters namaak nie, en ek vee my skulpies weer saam uit die sand. Sy houding teenoor my het begin verander, asof hy eers, soos Julien, aan my gewoond moes raak, en slegs geleidelik daartoe kon kom om my hier in hul midde te aanvaar. Eers het hy hom afsydig gehou en skaars gewys dat hy van my teenwoordigheid bewus is, maar nou het hy begin om af en toe 'n bietjie onseker 'n gebaar in my rigting te maak. Miskien het Hilde gelyk, dink ek, en het hy begeerte na geselskap wat hy slegs stadig en onwillig toon; miskien is hy net verdiep in sy werk, buierig omdat die skilder nie wil vlot nie. Hy het op die kafeeterras by my kom sit, hy het my gevra om saam te kom toe hy gaan duik, hy het hier langs my op die sand gekniel en die blompatroon uitgelê. Ek vee die sand gelyk waar ek probeer het om verder te gaan en laat sy mosaïek van blomme soos dit is. „You'll like Johan,” het Cynthia daardie aand in Parys gesê, op 'n versakte diwan tydens iemand se partytjie, in haar geel rok met slordig vasgespelde hare, 'n glas sjerrie in haar hand. Sy het nagedink asof sy verskeie dinge oorweeg en opsom, en toe het sy geknik; „You'll like Johan,” het sy gesê, en êrens 'n verfrommelde stukkie papier uitgegrawe om die adres vir my neer te skryf. „He takes his work very seriously, too seriously perhaps, but he has talent, he'll go far once he finds himself.” My aarseling het haar net ongeduldig gemaak.

„Oh, good heavens, don't be silly, of course he won't mind your coming. Just say I gave you the address." Toe het ander mense hulle by ons gevoeg en oor ander dinge begin gesels, en ek het na Griekeland gekom.

Hoe kan Cynthia moontlik weet of ek van Johan sal hou of hý van mý? wonder ek. Dit is tog 'n kwessie van toeval of jy die regte woorde, die regte weë vind, en enige ontmoeting kan misluk. Was dit trouens ook iets meer as beleefdheidsgebare wat Johan in my rigting gemaak het? Wanneer dit gemaak is, het hy hom gou weer teruggetrek, onbereikbaar in sy skilderwerk, afgetrokke toehoorder van die gesprekke tussen Hilde en my aan tafel, afsydig besig met die natgooi van die tuin, waarmee hy nog altyd geen hulp wil hê nie. Maar toe ek daardie aand in die koelheid afgaan na die kafee langs die water, het hy daar gesit, en ek kon nie omdraai of verbyloop nie, want hy het my gesien: ek moes oorkant hom kom sit soos die vorige keer, en die seuntjie het vir my wyn gebring, en ons het weer probeer om 'n gesprek aan die gang te kry.

„Dit was vandag warm gewees."

„Nie so warm soos gister nie. Ons het die hele oggend op die strand gebly, tot middagetetyd . . ."

„Maar die grond is droog, jy kan dit sien wanneer jy die tuin natgooi. Die water sak sommer weg."

„Julle is gelukkig dat julle 'n put het," sê ek.

„Ja, altyd yskoue water, as die voorraad ten minste uithou tot die reëntyd."

„Wanneer is dit?"

„In Oktober of November, glo ek." Terwyl hy praat, speel hy met sy glas of met iets anders op die tafel, wat hy tussen sy vingers ronddraai sonder dat ek kan sien wat dit is. „Ek's bly dat ons 'n put het," sê hy.

„Dis nuttig."

„O, núttig . . ." Die oorweging interesseer hom nie. „Dis mooi, dis wat ek bedoel; dis mooi om 'n bron te besit."

„Simbolies."

„Ja," sê hy glimlaggend, en kyk my vinnig aan. „Ek hou van simbole, ek weet nie waarom nie."

„Jy is kunstenaar."

„Impliseer die een ding dan die ander?"

„Kunstenaars werk met die groot, tydlose dinge wat agter die klein, tydelike verborge is."

„Seker," sê hy, „ek weet nie. Ek skilder wat ek voel sonder om daaroor na te dink. Dis nie goed om te veel te dink nie."

„Soms moet jy darem die betekenis en die waarde van dinge oorweeg."

„Dis nie goed nie," sê hy. „Dink en droom is nie genoeg nie, jy moet ook probeer om die droom te verower en te verwesenlik."

Hy praat mymerend, en ek wonder hoe lank hy al hier sit en drink.
„Dis nie die moeite werd nie."
„Dis áltyd die moeite werd," weerspreek hy my.
„Die aard van 'n droom is sodanig dat dit nie verwesenlik kán word nie."
„Dit kan benader word, jy kan jou hand uitsteek en dit met jou vingertoppe aanraak. Dis die enigste rede waarom die toevallige werklikheid belangrik is, as raakvlak van die droom; die dinge wat ons omring, is net belangrik omdat hulle simbole is van iets groters en gebruik kan word om dit te benader en te verwesenlik."
„Die put," sê ek.
„Die wyn hier op die tafel. 'n Vallende blaar, 'n kersvlam in die donker. 'n Vis, drake, eenhorings . . ."
„'n Golf wat breek teen die kus . . ."
„'n Orgidee in 'n asblik."
Ons lag saam oor die banaliteit van die beeld: Johan wink, en die seuntjie kom reeds aan met nóg twee bekers wyn.
„Kom die gety al in?" vra ek. „Die skulpe wat jy vanoggend uitgelê het, is seker weer weggespoel."
„Dis ook simbolies," sê hy. „Alles is simbolies, ons leef van simbole."
Moeders roep na die laaste kinders wat nog in die halflig op die strand ronddartel, hul stemme ver weg in die skemering. Hulle gaan na binne en dit word stil.
„Water is die mooiste simbool van almal," sê Johan dan dromerig. „Helder water wat jy uit 'n put ophaal om dors te les en lewe te gee, om te reinig, die water van die doopvont wat wedergeboorte beteken . . . Ek is bly dat ons 'n put het."
„En die see rondom jou," sê ek.
„Die see is weer anders. Ek is lief vir die see, ek wil altyd êrens by die see woon. Jý ook?"
„Die see is vir my te groot en onbekend en geheimsinnig."
„Dis juis wat so wonderlik is. As jy praat van die werklikheid ontvlug, hiér kan jy letterlik vlug, in 'n fisieke sin, jy kan 'n heeltemal nuwe wêreld betree. Jy het nooit onderwater geswem nie?" Ek skud my kop. „Eintlik moet jy nog dieper afgaan, met 'n duiklong. Dan is daar geen swaartekrag meer nie, jy kan na alle kante beweeg; die lig word gebreek en verstrooi deur die water, daar is wonderlike, wiegende plante, en koraalriwwe, versonke skepe vol skatte, verlore stede, Atlantis met al sy torings . . ."
Hy staar oor sy glas weg na die silwer vlak van die water. „Seegode en meerminne," sê ek.
„Selfs dít, dis ook moontlik. Ek weet dat ek vervelig raak wanneer ek oor my liefhebberye praat, oor my werk of oor onderwaterswem, dis op die oomblik die twee dinge waaroor ek gedurig in vervoering raak en dis nie baie interessant vir buitestaanders nie."

„Ek vind dit nie vervelig nie," sê ek. „Ek kan verstaan wat jy bedoel."

„Ja, maar eintlik is jý ook romanties, nè?"

Ek kan nie dadelik 'n antwoord vind nie. „Ek glo nie so nie."

„Wil jy nie toegee dat jy enige romantiek besit nie?" vra hy. „Jy is soos Elsa, julle probeer dit agter nugterheid wegsteek, of agter 'n poging tot nugterheid."

Hy het te veel gedrink, besef ek. „'n Mens moet nugter wees," sê ek. „Dit gee jou iets om aan vas te hou."

„Dis 'n pantser om agter weg te kruip. Dit kan 'n verskoning wees vir lafhartigheid."

„Liewer blo Jan as do Jan," merk ek op en drink my glas uit.

Johan glimlag. „Ons het dit op skool geleer, hele lyste spreekwoorde wat niemand ooit gebruik nie. Ek het nooit verwag om dit werklik eendag in 'n gesprek te hoor nie, op 'n terras in Griekeland." Hy wink weer vir die seuntjie.

„Ek wil nie meer wyn hê nie," sê ek. „Dis tyd om huis toe te gaan."

„Dis lank laas dat ek met 'n Afrikaner gepraat het," sê hy. „Ek begin weer allerhande dinge onthou wat ek amper vergeet het, allerhande herinnerings kom weer terug."

Ek het al opgestaan om te voorkom dat hy nóg wyn op my afdwing. „Oor 'n paar dae sal Elsa ook hier wees," sê ek.

„Elsa is Hilde se vriendin, óns twee is nie maats nie." Die seuntjie van die kafee het vraend langs ons tafel kom staan, onseker of ek gaan of bly. „Drink nog 'n glas wyn met my," sê Johan.

„Ek het al genoeg gedrink. Dis tyd om te gaan eet, dis al laat."

Die ligte op die terras word aangeskakel, dowwe gloeilampies tussen die verdroogde takke van die afdak. By die tafeltjie sit Johan na my en opkyk.

„Hilde is gewoond daaraan," sê hy. „Sy verwag ons nie by die huis nie."

Hy het dié middag by die ete gedrink en vanaand weer voordat hy na die kafee gekom het. „Ek moet gaan eet," herhaal ek saggies, maar wanneer ek gaan, staan hy op en kom agter my aan.

Ons stap oor die strand, ons voetstappe geluidloos in die sagte sand. „Jou skulpe is nou seker heeltemal weggespoel," sê ek weer, maar hy gee geen teken dat hy my woorde gehoor het nie.

„Die water is nog warm," sê hy. „Ek dink ek gaan swem."

„Is dit nie gevaarlik om so alleen te gaan nie?"

„Jy is net so versigtig soos Hilde. Ek het opgehou om versigtig te wees, dis heeltemal sinloos; die lewe is nie lank genoeg daarvoor nie. Ek doen wat ek wil."

„Ek kan my nie losmaak van die konvensies waarmee ek grootgeword het nie," sê ek. „Selfs al wil ek, bly ek tog maar 'n keurige mens wat op tyd probeer wees vir maaltye."

Hy lag en gaan staan by die end van die strand waar die grootpad teen die helling uitklim. „In jou oë is ek seker maar taamlik afkeurenswaardig, nè?" sê hy.

Ek kan nie aan sy stem uitmaak of hy dit sarkasties bedoel of nie; in die donker kan ek nie sy gesig sien nie. „Ek het tog niks om af te keur nie," antwoord ek.

„Toe maar," sê hy. „Ek het te veel gedrink."

„Dan moet jy liewer nie gaan swem nie."

„Ek sal seker nie. Ek sal maar by die kafee bly sit."

„Kom jy nie saam huis toe nie?" vra ek, maar hy skud sy kop, en ek klim van die strand op na die pad. „Tot siens," roep ek na hom terug.

„Tot siens," sê Johan waar hy op die strand bly staan met sy hande in sy sakke, en ek stap alleen huis toe.

„Kan jy vandag vir my winkels toe gaan, Johan?" vra Hilde terwyl sy koffie skink.

„Al wéér?" vra hy.

„Jy sê dit altyd, maar jy het verlede week laas gegaan, en daar is baie dinge wat ons nodig het as Elsa kom."

„Ek wou vandag gaan skets het."

„Daar's nog genoeg tyd wanneer jy terugkom."

„Ek kan vir jou dorp toe gaan," sê ek. „Ek het tog niks te doen nie."

„Dis maar net 'n paar gewone dinge wat ek nodig het, Johan kan dit ook kry."

„Ek kan inkopies doen wanneer ek Elsa van die skip gaan afhaal," sê Johan.

„Die winkels is nie so vroeg oop nie, dan moet julle tot twaalfuur wag op die volgende bus."

„Dis in elk geval die vraag of ons die vroeë bus sal haal. Die skip kom gewoonlik laat aan."

„Dis vir my geen moeite om dorp toe te gaan nie," sê ek. „Ek was tog van plan om vanoggend te gaan stap." Ek het al begin gewoond raak aan hulle uitgerekte besprekings van huishoudelike sake, met Johan wat teëstribbel en Hilde wat rustig en byna ongemerk haar sin deurvoer; ek voel nie eers meer dat ek my beleefdheidshalwe daarbuite moet hou nie.

„Láát Ruud dan tog gaan as hy dit self aanbied," sê Johan terwyl hy 'n stuk brood sit en breek. „Ek voel regtig nie lus om my ter wille van Elsa in te span nie." Hilde kyk hom aan oor die tafel en hy lag skielik. „Nou goed dan, ek trek dit terug," sê hy.

„Jy drink koffie uit die kan wat sy ons gegee het toe ons weg is uit Parys," merk Hilde op, maar sy dink aan die dinge wat sy nodig het uit die dorp. Terwyl ons aan tafel sit, begin sy reeds die lysie uitskryf, en Johan gaan in die werkkamer tussen die rommel rondkrap op soek na potlode sonder om hom verder aan ons te steur.

Nòg was die dorp verlate toe ek dit daardie oggend bereik; nòg was my voetstappe die enigste geluid terwyl ek die steil straatjies uitklim na die kerk, langs dieselfde afgewitte mure en verby dieselfde oop deure en leë kamers. Onseker tuur ek in die halfdonker na binne en kan skaars tussen woonkamer en winkel onderskei; van huis na huis soek ek, en vind algaande die mense wat ek soek: die slagter met sy rooi voorskoot, die groenteman in sy winkeltjie met die soet geur van oorryp druiwe en vye, die bakker wat die swaar, plat brode uit die oond haal.

Die tas wat ek saamgebring het, was al vol, en ek het nog allerhande los pakkies gedra: Hilde het gesê dat daar dinge is wat ek kan laat staan as dit te veel word, maar uit een of ander onnodige ywer het ek gevoel dat ek alles moet saambring wat sy gevra het.

Die son was warm toe ek die heuwel afkom uit die skadu van die smal straatjies. Ongemaklik verskuif ek my pakkies van die een arm na die ander terwyl die handvatsel van die tas dieper in my hand insny. Johan kon gekom het om die inkopies te doen, het ek by myself gedink, en onthou hoe hy die vorige keer onderaan die heuwel bly sit het om op my te wag. Nou was daar niemand nie, die lang, slingerende pad verlate, die boerehuisies teruggetrokke tussen hul bome sonder teken van inwoners, en die hele land stil in die groeiende hitte van die middag. Ek het bly staan in die skadu van 'n ry yl bloekombome om die sweet uit my oë te vee en te rus, en ek het verlang dat iemand moet kom om hierdie verlatenheid te verbreek, dat daar 'n voetganger sal nader in die pad, dat iemand sal opstaan uit die skadu en na my toe kom; dat 'n kind sal roep van êrens tussen verre olyfboorde of 'n stem in hierdie trillende blou stilte weerklink. Maar daar het niks gebeur nie; daar gebeur niks nie. Ek het die tas en die pakkies weer opgeneem en verder gestap.

Halfpad tussen die dorp en die hawe was daar op 'n afstand van die pad 'n wit kerkie tussen dennebome, en ek het hierheen afgedraai om vir 'n rukkie in die skadu te rus. Ek het reeds die bome bereik en in hul koelte gestaan, my pakkies op die klipmuurtjie, toe ek iemand na my toe hoor kom tussen die bome, en opkyk, oë nog verblind deur die son, om Johan te sien.

Vir 'n oomblik het ek nie geweet hoe om te reageer nie, nog kwaad omdat hy die dorp toe gaan aan mý oorgelaat het, maar verras deur sy onverwagte verskyning.

„Ek het nie geweet Hilde moet soveel dinge hê nie," sê hy, „anders sou ek saamgekom het."

„Ek kan dit darem behartig."

„Ek sal jou verder help dra."

„Dis nie nodig nie, jy wil tog gaan skets."

Ek gaan sit op die grond met my rug teen 'n boomstam en strek my bene uit. Johan bly na my staan en kyk, sy sketsboek onder sy arm.

„Ek het gedink ek gaan met die bus na die binneland, daar is interessante dorpies in die berge, tussen die olyfboorde. Maar toe kom ek hierheen. Dis 'n mooi kerkie. Was jy al binne gewees?"

„Nee."

Hy kom sit langs my. „Sigaret?" vra hy, die pakkie in sy hand.

„Jy sal brand veroorsaak met al die droë dennenaalde."

Hy glimlag. „O, in sommige dinge is ek darem betroubaar. Ek moes vanoggend dorp toe gegaan het," voeg hy dan by. „Dit spyt my."

Ek haal my skouers op, ontwapen deur sy deemoedigheid. „Nou het jý ten minste 'n skuldgevoel."

Hy onthou dan ons gesprek op die strand. „Dis seker maar deel van ons erfenis as Afrikaners om skuldig te voel," sê hy; „skuld wat ons toeskryf aan politiek of godsdiens, die kleurkwessie of erfsonde of iets — 'n ingeboude boet-apparaat wat later na álle terreine van die lewe begin uitbrei." Hy hou die pakkie sigarette na my uit en steek die sigaret vir my aan. „Ons het weer in so 'n innige Afrikaanse gesprekkie beland, soos twee bannelinge wat vol nostalgie saam sit en mymer oor alles wat ons verloor het."

„Dis seker maar gemeenplasies, soos die weer, totdat ons ander dinge vind om oor te gesels."

„Ja," sê Johan. Dit is nog koel onder die bome, maar anderkant hul donker skadu smelt die landskap nou weg in 'n enkele blou waas van lug en berge. Ek ruik die bitter geur van die denne en die rook van ons sigarette waar ons roerloos langs mekaar sit en uitkyk.

„Oor 'n paar dae kom Elsa," sê Johan dan nadenkend.

„Jy klink nie baie bly daaroor nie."

„Ek kan ook nie eintlik sê dat ek daarna uitsien nie."

„Sy sal geselskap wees. Maar dan, die afsondering hinder jou ook nie."

„In 'n mate, maar ná 'n tyd word dit skielik weer te veel vir my. Dis 'n kringloop — dan maak jy jou huis weer vol mense en omring jou met 'n hele futiele menigte, totdat jy weer genoeg het van die lawaai en terugvlug na die eensaamheid. Ek weet nie wat die oplossing is nie, óf daar 'n oplossing is nie. Waarskynlik nie."

Hy praat bitter en heftig terwyl hy voor hom uitstaar na die blou landskap. „Miskien is die oplossing maar om die eensaamheid te aanvaar," sê ek.

Hy dink daaroor na. „En dan?"

„Dan lewe jy daarmee verder; jy soek niks meer nie, jy verwag niks meer nie."

„Alles is tog op 'n einde as daar niks meer is om te soek of te verwag nie."

„Miskien," sê ek, „maar dis moontlik om so te lewe."

Hy skud stadig sy kop. „Nee," sê hy, „nee, dít ook nie."

Ek rook en kyk uit na die land. „Ek sit al hierdie dinge en opkrop," sê Johan, „ek dra dit al weke lank in my rond, máánde lank, nou oorlaai ek jóú daarmee, net omdat jy toevallig ons eerste besoeker is, die eerste buitestaander met wie ek kan praat."

„Jy hoef nie altyd verskonings te maak nie."

„Alles gaan verkeerd, my werk sukkel, die dinge wat ek probeer uitdruk, wil nie vorm kry nie — dis sommer 'n helse tyd."

„Dit sal oorgaan."

„Miskien. Sommige dinge gaan nie oor nie, dit word net erger."

Terwyl hy praat, het hy egter al opgespring en die pakkies bymekaar begin maak. „Ek wil nog na die kerkie gaan kyk," sê ek.

„Dis binne modern ingerig, dit het nie baie persoonlikheid nie," sê hy sonder om om te kyk. Ek stap deur die dennebome na die geboutjie, waarvan die deur oopstaan, en kyk na die fel wit van die mure, die heldergekleurde ikone en blink silwerwerk.

„Hulle hou hier gereeld dienste," sê Johan. Ek het nie gehoor dat hy my volg nie, op sandale oor die dennenaalde. „Soms kom luister ek na die sang."

„Hierdie klein kerkies is mooi," sê ek.

„Daar is veel mooier kerke op die eiland, ek kan jou na 'n paar toe vat as jy belang stel." Ek het na vore geleun om na die afbeeldings op die ikonemuur te kyk. „Is jy godsdienstig?" vra hy.

„Nie eintlik nie, ek het net herinnerings oorgehou van my kinderjare."

„Ja, sulke dinge blý, selfs teen jou sin."

„Dis koel hier binne," sê ek.

Buite het alles in wasigheid vervaag. Niks beweeg in die hitte nie; die geskreeu van die sonbesies het 'n enkele hoë gesketter geword.

„Sal ons gaan?" vra Johan.

„Jy hoef nie te help nie, ek sal alleen regkom."

„Ek wil tog nie hier bly nie. Ek voel nie lus vir teken nie." Hy stap weg na buite, en ná 'n rukkie volg ek hom.

„Chris en Annet kom in die herfs Europa toe," sê Hilde. „Hulle sal seker hierheen wil kom; hulle besoek in elk geval Athene."

„Jy hoef hulle nie aan te moedig nie," sê Johan.

„Hulle is tog jóú vriende," antwoord sy rustig en vou die brief weer op. Daar het pos gekom, tydskrifte en koerante uit Nederland en Suid-Afrika, en briewe met buitelandse posseëls. Johan het die briewe uitgesoek wat hy self wil lees en die ander aan háár oorgelaat om oop te maak.

„Ek wil in elk geval nie Chris en Annet hier hê nie," sê Johan ingedagte en frommel 'n brief op.

„Wat makeer?" vra Hilde.

„O, Mortimer wat nog altyd redekawel oor daardie skilderye wat ek by hom gelos het, hy't nóg niks daarmee uitgerig nie."

Hulle praat saam oor mense wat hulle ken, oor dinge waarvan hulle weet, terwyl ek die tydskrifte deurblaai.

„Ons het in elk geval net vir vier mense slaapplek," peins Hilde verder, haar aandag teruggelei na huishoudelike sake.

„Dis 'n goeie rede vir Chris en Annet om nie te kom nie," sê Johan terwyl hy nog 'n brief oopskeur.

„Ons het nie genoeg bedde as ons nog besoekers kry nie. Ek het gewonder of ons nie nog 'n paar diwans behoort te koop nie . . ." Johan is egter besig om te lees, en Hilde begin die briewe opvou en die koeverte opruim.

„Helmut het weer uitgestal, die koerante was vol lof gewees."

„O," sê Hilde, „dis mooi."

„Nie as jy weet wie almal die kunsbesprekings skryf nie."

„Ek weet nie of Elsa binne by my sal wil slaap nie. Miskien wil sy liewer buite slaap."

„Sy sal tog seker 'n slaapsak by haar hê. Wat bekommer jy jou so?"

„Ons moet in elk geval nog 'n bed hê as ons meer besoekers kry." Sy staan op om die papiere te gaan weggooi.

„Ek sal seker teen aanstaande week se kant gaan," sê ek, „dan is die probleem ten minste gedeeltelik opgelos."

Hulle kyk na my, Hilde by die tafel en Johan waar hy op die rand van die terras sit met briewe in sy hand.

„Dit gaan nie om bedde nie," sê Hilde.

„Dis tog tyd dat ek verder gaan, ek kan nie hier bly rondhang nie."

Hilde gaan na binne, en Johan en ek bly op die terras.

„Waarheen sal dit dan wees?" vra hy na 'n rukkie.

„Wanneer ek weggaan? Seker maar ánder eilande voorlopig, en kyk of daar iets gebeur voordat ek besluit wat om verder te doen."

„'n Vingerwysing?" vra hy. Toe begin hy ook in die tydskrifte blaai, maar na 'n tydjie laat hy hulle staan en lê op die ander diwan en uitkyk. Dit was die dag voor Elsa se aankoms, en hy het by die huis gebly terwyl Hilde besig is met talle klein voorbereidings. Ons het gewag, want ons het geweet dat daar iets gaan gebeur, 'n insident in die lang, trae, mooi gang van die eenderse dae.

„Waarmee bly jy tog so besig?" vra Johan vir Hilde. „Dis tog maar net Elsa wat kom met 'n rugsak."

„Ek wil hê dat alles reg moet wees vir haar."

„Jy is opgewonde omdat sy kom, senuweeagtig."

Ek gaan af in die tuin na die koelheid van die oleanderstruike, en later roep Johan my van die terras. „Wil jy miskien help om die tuin nat te gooi? As jy lus voel, natuurlik," voeg hy by.

Ek gaan hom help, laat die emmer in die put sak en trek dit weer op, gee die vol, stortende emmers na hom aan waar hy heen en weer loop in die tuin. Hy praat met my terwyl ons besig is en wag 'n bietjie onseker op my reaksie, asof hy nie weet of dit die regte woorde is wat hy gebruik nie. Dan lag hy oor iets, ek sê iets en ons lag; ek reik hom die emmer aan en die water mors oor die rand, kaalvoet staan ons in die modder van die tuin, die grond nog warm van die hitte van die dag en die water lou waar dit wegloop.

Die volgende dag sou Elsa aankom, en miskien is dit die rede waarom dié aand nog duidelik in my geheue uitstaan, afgesonder van al die stil, eenderse aande wat dit voorafgegaan het. Die dag was weer warm gewees, maar nou het die hitte begin oplos in die koelheid van die skemer, silwer en rooskleur en blou. Langs die pad onderkant die huis het die jongmense van die villas verbygestap terwyl hulle saggies sing en na mekaar roep, die meisies ingehaak saam, die jong mans met die arms los om mekaar se skouers.

Op die terras het ons na hulle sit en luister terwyl ons wyn drink, op die laaste aand dat ons alleen sou wees, net óns drie rustig saam. Soos gewoonlik het Johan te veel gedrink, maar anders as gewoonlik het hy aan tafel spraaksaam geword, en begin lag en herinnerings ophaal aan Parys en Amsterdam en Suid-Afrika. Hilde het agteroor geleun in haar stoel en glimlaggend na hom gekyk, sonder om self baie te sê: net af en toe het sy 'n naam bygedra wanneer hy dit vergeet het of hom aan een of ander feit herinner wat hy weggelaat het uit die verhaal wat hy vertel, maar haar aandag was net gedeeltelik by die verhale, wat sy seker al goed geken het.

„Johan," sê sy dan skielik, en hy kyk na haar met die wynkan in sy hand, die nek daarvan teen die rand van sy glas. „Nie meer nie," sê sy vinnig en onduidelik. „Ons het genoeg gedrink."

Johan hou die rand van die kan teen die glas. „Genoeg?" herhaal hy.

„Ons het vanaand al meer gedrink as gewoonlik, sonder om daarop te let. Ruud, wil jý . . ." Sy voltooi nie haar sin nie.

„Ek het genoeg gehad," sê ek.

„Ja, miskien," sê Johan saggies, en sit die kan neer. Hy steek vir hom 'n sigaret aan, sy gesig weer afgetrokke in die gloed van die vuurhoutjievlam, en praat nie meer nie. Die gesprek wat onderbreek is, word nie hervat nie.

„Dis al laat," sê Hilde. „Dis tyd om te gaan slaap. Jy sal môre vroeg moet opstaan om die bus te haal."

„Ja," sê Johan, en staan op van die tafel. Die gesprek sál ook nie hervat word nie, sien ek, terwyl hy wegloop langs die terras.

„Is jy moeg, Ruud?" vra Hilde, en begin reeds die glase bymekaarmaak terwyl sy praat.

„Nie baie nie. Ek het nie eintlik iets gedoen om my moeg te maak nie. Ek raak al hoe luier."

„Ons raak almal lui," sê Johan op 'n afstand van ons in die donker. „Miskien is dit tog 'n goeie ding dat Elsa kom, dat ons 'n bietjie losgeruk raak uit ons luiheid. Ons rig niks op aarde uit nie, ons sit net hier en kyk na die sonskyn en die sterre."

„Wat verwag jy dan dat Elsa moet doen?" vra Hilde.
„Ek weet nie, 'n verandering teweegbring deur haar blote teenwoordigheid."
„Het jy van mý ook so iets verwag voor ek gekom het?" vra ek, en hy lag saggies.
„Mens bly hoop, nè?" sê hy.
„Dit spyt my dat ek jou teleurgestel het."
„Ek het nooit gesê dat ek in jou teleurgesteld is nie."
Hilde kom terug van die kombuis. „Ek hoop dat jy van Elsa sal hou," sê sy.
„Ek wonder wat jy van haar sal dink," sê Johan. „Sy maak 'n baie verskillende indruk op verskillende mense."
„Elsa is altyd dieselfde," sê Hilde. „Sy is heeltemal eerlik en reguit."
„Teenoor mý was sy altyd geslote, sy het nooit van my gehou nie, en sy het haar ook nooit heeltemal prysgegee wat my betref nie."
„Jy verbeel jou dit net," sê Hilde, maar hy gaan voort.
„Sy het nie daarvan gehou dat ons saam gaan woon nie, nog minder dat ons besluit het om te trou. Dis nou die eerste keer dat sy ons sien sedert ons getroud is. Ek wonder hoe sy daarop sal reageer."
„Sy het haar eie manier van dinge sê en doen," gee Hilde toe, „maar dit beteken nog nie dat sy nie van jou hou nie."
„Sal ek en sy dalk nog vriende word?" vra Johan mymerend. „Ek sien al hoe soen ons mekaar op die kaai en hoe sy wiegeliedjies vir Julien sit en sing. Nee, as ek dit so bekyk, word dit heeltemal opwindend. Ek begin selfs daarna uitsien dat sy kom."
„Sodra jy oor Elsa praat, sê jy iets onaangenaams," merk Hilde dan op.
„Jy weet tog dat sy my altyd in die harnas gejaag het."
„Jy het dit goed gevind dat sy ons kom besoek. En ék hou van Elsa."
Hulle is stil, my teenwoordigheid vergete. Dan gaan Johan na haar toe. „Dit spyt my," sê hy.
Hulle staan naby mekaar en hy sit sy arm om haar. Sy lig haar hand om syne aan te raak, en ek sien in die lamplig die gebaar, haar hand, en die flitsende trouring. Dit was die eerste gebaar van teerheid wat ek tussen hulle gesien het: hulle het my aanvaar.
„Ek gaan slaap," sê Hilde. „Nag, Ruud, en wel te ruste."
„Ek dink ek gaan 'n bietjie stap," sê ek. „Dis 'n mooi aand, en ek is tog nie vaak nie."
„Ja," sê sy. „Die maan sal netnou opkom."
Dit is stil: die maan sal netnou opkom, maar die horison is donker en die nag swaar voor my.
„Ruud!" roep Johan van die huis terwyl ek afstap deur die tuin.
„Ja?" vra ek.
Hy kom na die rand van die terras om met my te praat. „Voel jy dalk lus om môre saam te gaan wanneer ek Elsa gaan afhaal?"

„Wil jy geselskap hê?"

„Ek wíl nogal. Ons twee het nooit baie goed met mekaar oor die weg gekom nie, soos ek al gesê het, en dit sal dalk makliker wees as daar iemand anders by is."

„Goed," sê ek.

„Eintlik is sy nie so 'n onmoontlike mens nie," sê hy nadenkend. „Sy was 'n goeie vriendin vir Hilde gewees, en Hilde dink baie van haar, maar ek voel eenvoudig nie aangetrokke tot haar nie: 'n koudbloedige, kritiese, serebrale mens. Sy't ook 'n paar boeke geskryf, miskien het jy al van haar gehoor."

„Ek lees maar selde Afrikaans."

„Jy mis waarskynlik nie baie nie. Goed geskrewe, intelligente romans vol godsdiens en simboliek — dit was baie bý gewees om haar te bewonder die tyd toe ons weg is uit Suid-Afrika, die hoop van ons jong letterkunde..."

Ek wou dit alles nie weet nie en Elsa het my ook nie geïnteresseer nie. Miskien het Johan dit gemerk waar hy met my bly gesels.

„Waarheen gaan jy stap?" vra hy.

„Sommer langs die strand."

„Dis 'n mooi aand."

„Ja."

„Tot môre dan."

„Tot môre. Nag, Johan."

Ek stap af na die see. Johan draai om en gaan na die huis, waar Hilde haar klaarmaak vir die bed en die lig in die slaapkamer dof brand. Dit is donker in die skadu van die oleanders en ek kan nie meer die voetpaadjie sien nie, struikel oor die ongelykheid van die grond, val byna, en stap dan verder af na die strand.

Die wit huisies van die stad lê uitgestrek langs die rand van die baai, stil soos alle Griekse stadjies en dorpe, die strate altyd leeg en die kerke altyd verlate. Net die skip van Piréus bring 'n onderbreking van die rustigheid met sy gereelde aankoms en vertrek: daar kom besoekers van die vasteland met sonbrille en duur koffers, plaaslike mense keer terug met hul bondels en kiste, en 'n enkele toeris laat hom in die dobberende bootjie na die kaai voer. Al die inwoners kom in die vroeë oggend na buite om die aankomelinge te sien en afskeid te neem van diegene wat vertrek. Bagasie staan opgehoop op die stowwerige pleintjie voor die hawekantoor, en rammelende busse bring mense aan van plattelandse dorpies.

Ek het eenkant van die menigte gaan sit, en Johan het op en neer gestap op die muurtjie langs die water. „Is jy dan senuweeagtig?" het ek gevra toe hy weer by my verbykom, en hy het gelag en sy sigaret in die water gegooi. „Ontmoetings maak my altyd senuweeagtig," sê hy. „Sal ons gaan koffie drink?"

Die tafeltjies van die kafees hiér by die hawe was egter almal beset, en ons het maar daar rondgeloop, tussen die mense en die bagasie, onder die bome en langs die winkeltjies in die koelheid van die vroeë môre. Hilde was al op gewees toe ons weggaan; van die pad het ons omgekyk om vir haar te wuif, en sy het teruggewuif waar sy bokant ons op die terras staan in haar wit rok. Die koelheid van die oggend en Hilde voor die huis met Julien op haar arm en die stemme van die mense onder die bome: ek is al 'n hele tyd hier op die eiland, het ek by myself gedink terwyl ek met Johan verder stap sonder om te praat, en nóg het ek niks uitgerig nie. Ons kyk na die koerante by die kiosk, die paar verouderde Franse en Engelse tydskrifte, die onleesbare opskrifte in 'n vreemde alfabet, en hoor die fluit van die boot wat aankom oor die baai.

Reeds toe ek Elsa vir die eerste keer sien, het ek geweet dat ek nie van haar hou nie, reeds te midde van die stuwende menigte by die hawe waar ek haar as buitelander kon uitken tussen die passasiers in die naderende landingsbootjie. Het ék met my aankoms net so duidelik tussen boere en besoekers opgeval as sý met haar praktiese denimbroek, bloes en seilrugsak? Sy het nouliks die hulp van die matrose nodig gehad om uit die bootjie op die kaai te klim, maar só opgeklouter en haar rugsak agter haar opgetrek. Vir 'n oomblik het sy bly staan en na die wagtende mense op die pleintjie gekyk, maar toe sien sy Johan waar hy langs my wag sonder beweging in haar rigting, en kom na ons toe.

Dít was dus Elsa op wie se koms ons gewag het, hierdie bruingebrande jong vrou wat die halwe Europa deurreis het — ek kon hoor hoe sy oor Duitsland en Joego-Slawië praat terwyl ek haar en Johan na die bus toe volg — met haar stewige loopskoene en haar rugsak. Sy het Johan uitgevra na Hilde en die kind, en toe het hulle oor gemeenskaplike kennisse begin praat, vriende van vroeër wat sy met haar aankoms in Europa weer raakgeloop het, dié in Düsseldorf of Parys en daardie een in Wenen, en Johan het haar nie in stilswye ontvlug soos hy met my gedoen het nie, want sy het hom tot 'n gesprek met haar gedwing. In die bus het hulle agter my gesit, en terwyl ek uitkyk na die landskap waardeur ons reis, kon ek hulle stemme hoor met die vertroude klank van Afrikaans hier in die vreemde: Elsa wat rustig en saaklik vra of vertel, en Johan se skaarser antwoorde tussenin.

Iets het verander, en reeds op daardie busrit huis toe kon ek dit aanvoel. Ons het trouens almal geweet dat Elsa se koms 'n verandering sal meebring, en nou is sy ook hier, met haar ferme handdruk op die kaai en haar intelligente vrae oor die eiland tydens die rit, met haar *Guide Bleu* en die voukaarte van vasteland en eilande wat sy die eerste dag al uitgehaal het om haar te oriënteer. „Dít is noord," het sy gesê en met haar vinger gewys om die rigting aan te dui waar sy in die skadu by die tafel sit. Johan kyk haar aan deur die rook van sy sigaret, skrylings op 'n stoel, geamuseer deur die beslistheid waarmee sy die feit vasstel. Die *Guide Bleu* het een of ander besienswaardige kerkie op die eiland vermeld. „Dan moet dit net agter daardie berg wees," sê Elsa, „so 'n agt of nege kilometer met die pad."

„Johan," sê Hilde, en kyk op van die kaart om sy hulp in te roep.

„Ek weet nie," sê hy. „Daar is oral kerkies."

„Julle's 'n dooierige spul," sê Elsa. „Wat doen julle dan heeldag?" Ek lê op 'n diwan en druiwe eet terwyl ek na hul gesprek luister; vir 'n oomblik tref ek haar oog, en sy kyk 'n bietjie veragtend na my luiheid.

„Jy het nog maar net aangekom, Elsa," sê Hilde, „en daar is soveel om oor te gesels. Jy hoef jou nie dadelik al oor besienswaardighede te begin bekommer nie. Daar is nog wéke vir sulke dinge." Sy begin die kaart al opvou, en Elsa keer haar nie.

„Jy't gelyk, ek's 'n regte deeglike toeris wat net die hele tyd wil rondhardloop. Ek sal probeer om my in te hou."

Hilde gaan die middagete klaarmaak en Elsa sit kruisbeen op die drumpel van die kombuis en druiwe eet terwyl sy besig is; hulle gesprek gaan oor Parys en die veranderinge wat Elsa met haar terugkeer daar gevind het. Julien ploeter in 'n bak water, bruingebrand en kaal. Waar hy sit, kyk Johan na my, en ons glimlag vir mekaar uit een of ander onbegrepe gevoel van bondgenootskap. Dan kom hy in Elsa se reisgidse rondblaai.

„Vind jy iets interessants?" vra ek.

„Kerkies met ikone, 'n antieke tempel, vissersdorpies, vrouens wat by die huis kant maak — dinge wat ek self al geweet het." Die twee vroue lag waar hulle saam gesels en Elsa roep iets. „En die versonke stad," sê Johan. Die eerste dae na Elsa se koms het sy en Hilde gedurig so gelag en gepraat, en Hilde het opgewek geword.

„Wat is dit vir 'n stad?" vra ek.

„O, ek weet geen besonderhede daarvan nie, ek het die eiland sonder reisgidse ontdek. Die mense wat voor ons in hierdie huis gebly het, het iets daaroor gesê, toe het ek dit self gaan soek."

Elsa het sy laaste woorde gehoor en kom na ons toe, die tros druiwe nog in haar hand. „Wat is dit?" vra sy.

„Ek sê dat ek die eiland vir myself ontdek het," antwoord Johan ontwykend. „Ek ken nie die geskiedenis daarvan nie."

„Ek wil dit leer ken," sê Elsa, maar dan sê Hilde dat ons moet kom eet en die gesprek word onderbreek.

Die gevlekte lig en skadu van die terras, die stilte wanneer ons ná die ete onder die prieel aan tafel bly sit, die uitgestrekte see onder ons en die geruis van die golwe teen die kus, die dor bruin land wat tril in die hitte, die geur van stof en van oleanders; Johan wat elmboë op die tafel sit en rook en soms by homself glimlag terwyl hy luister na die gesprek tussen Hilde en Elsa, tussen Hilde en my; Julien wat om ons rondtuimel, en die stemme van die twee vroue wat saam gesels, die klank van Elsa se lag, Hilde wat lag waar sy vroeër by haarself loop en neurie terwyl sy in die huis besig is. Die lomerige hitte van die middag, die huis op die hoogte, die kraf met wyn, die rook van ons sigarette roerloos in die lug, die steeds traer woorde en langer stiltes waarin die omringende geruis van die see hoorbaar word, dit onthou ek.

Dit was duidelik dat Johan en Elsa mekaar nie simpatiek vind nie, en daar was iets gespanne in die manier waarop hulle mekaar aanspreek: die gesprek tussen hulle het maklik 'n woordewisseling geword, op die rand van 'n argument, en agter die woorde het daar degens uitgeflits. Hoofsaaklik was Elsa egter by Hilde: sy het dag na dag saam met Hilde deurgebring, haar met die huiswerk gehelp en saam met haar strand toe gegaan. Soms het Hilde blykbaar besef hoe sy in Elsa se geselskap opgaan en 'n bietjie skuldig probeer om Johan en my ook by hulle gesprek te betrek. Hulle praat oor Schopenhauer — „Schopenhauer was die naam van 'n kat wat ons gehad het toe ons saam gewoon het in Parys," verduidelik sy.

„Nie sommer 'n gewone kat nie," verbeter Elsa.

„Nee, hy was 'n baie mooi kat, donkergrys en glad en glansend, en hy het soos 'n luiperd beweeg. Ons het hom van Estniese vriende gekry toe hulle weggaan uit Parys, en Elsa het hom Schopenhauer genoem."

„Waarom?" vra ek, sommer om iets te sê.

„Omdat hy 'n baie intelligente en diepsinnige kat was," antwoord Elsa stadig.

„Hy het die hele dag in die sonskyn op die bed lê en slaap terwyl ek skilder," sê Hilde.

„En wat het van hom geword?" vra ek.

„Hy het weggeloop, sommer verdwyn."

„Jy was heeltemal ontroosbaar gewees," sê Elsa.

„Ek het dae lank na hom bly soek. Ek het hom baie gemis." Sy kyk na die tafelkleed. Dit is 'n herinnering wat sy en Elsa deel, iets wat oorgebly het uit die jare toe hulle êrens in Parys saam 'n solderkamertjie bewoon het, en ek en Johan het daar geen deel in nie. Ek het dit dikwels gevoel in daardie eerste dae ná Elsa se koms, wat alles verander het: dít veral, dat sy Hilde terugtrek in hul gedeelde wêreldjie van vroeër, en dat ek en Johan buite bly staan, toehoorders van hulle gesprekke.

Ek het op die diwan lê en lees, of ek het die twee vroue saam by die huis gelaat en gaan stap. Soms het Elsa en ek met mekaar gesels, maar ek het die indruk gekry dat ek reeds getoets en afgekeur is. Sy het wandelinge voorgestel, besoeke aan een of ander bouval of kerk aan die ander kant van die eiland, togte wat 'n hele dag in beslag sou neem, sodat ons padkos sou moet saamneem, maar Johan het die voorstelle half spottend begroet en ek het die uitnodigings altyd ontwyk. Vir 'n oomblik het haar helder, afkeurende blik weer op my gerus, en sy het gesê dat sy alleen sal gaan, maar dan het Hilde haar omgepraat om die tog tot 'n ander dag uit te stel, en sy het uiteindelik ook by die huis gebly, 'n bietjie ongeduldig waar sy op die terras sit en rook met haar bene voor haar uitgestrek in die son.

Ek het die vroue saam by die huis gelaat en gaan stap, ek het na die strand gegaan om te swem, na een van die verlate strande op 'n afstand van die huis, en langs die paaie gedwaal of die pad verlaat om teen die heuwels uit te klim. Soms het arbeiders op die land uit die verte vir my gewuif in die verbygaan, maar gewoonlik het ek min mense gesien: 'n vrou op 'n esel, 'n vragmotor wat gruis aanry, of 'n enkele blink kar, waarskynlik van 'n besoeker. Die eiland was stil in die hitte, roerloos in die sonlig, en die enigste geluid was dié van die see waarna jy elke keer weer terugkom: die gespoel van die golwe oor die verlate strande of die slag van die branders wat skuimend oor die rotse breek.

Ek het die kus gevolg, ek het langs die strande gestap; van wilde vyebome aan die rand van die duine het ek vrugte gepluk, of van wingerde wat agter rietskuttings van die seewind skuil. Ek onthou daardie hitte en die roerlose blou van die dag, die koelheid van die middag en groeiende teerheid van die aand, en die langsame wandeling terug huis toe deur die skemering, doelloos en sonder haas terug na die hawe en die dorpie en die kafee langs die water. Eers toe ek naby kom, kon ek sien dat Johan al daar sit, alleen tussen die verlate tafeltjies met 'n glas wyn voor hom.

„Ek het gewonder of jy sal kom," sê hy, en ek het gaan sit sonder dat ons mekaar groet. Die seuntjie bring ongevra my wyn: ek het 'n stamgas geword.

„Het jy my dan verwag?" vra ek.

„Jy het gister nie gekom nie en die aand daarvoor ook nie, dus was die kans groot dat jy vanaand wél sal opdaag."

„Sit jy elke aand hier op my en wag?"

„O, die aand is die tyd vir wag, dan gaan sit ek gewoonlik in een of ander kafeetjie. Deesdae is dit hiérdie een. Waar was jy gewees?" vra hy.

„Gaan stap."

„Waarheen?"

„Sommer oor die velde totdat ek weer by die see uitkom."

„Toe ons pas hier was, het ek dae lank die eiland verken, en toe het ek dae aaneen gewerk, maar teenswoordig rig ek niks uit nie."

„Elsa spoor my aan met al haar reisgidse en kaarte. Ek moet darem ook iets van die eiland sien voordat ek weggaan."

„Is jy nog van plan om weg te gaan?" vra Johan.

„Ek het gedink dat ek hierdie week miskien kan gaan. Hoe dikwels is daar 'n skip na Piréus?"

Hy wag 'n tyd lank voordat hy iets sê. In die laaste gloed van die daglig speel daar soos gewoonlik nog kinders op die strand, maar hul stemme is die enigste geluid in die aand. Dan roep die seuntjie van die kafee na hulle van waar hy op die terras verlangend na hul spel staan en kyk, en in die gesketter raak die eerste woorde van Johan se antwoord verlore. Ons draai om om na die kinders te kyk, ons aandag afgelei, en sien hoe die seuntjie oor die strand weghardloop na sy maats en ons alleen laat op die terras.

„Nou sal jy nie 'n tweede beker wyn kan bestel nie," sê ek vir Johan.

„Dit ís al die tweede."

„'n Derde dan."

„Dink jý ook dat ek te veel drink?"

„Wie dink dan nóg so? Hilde?"

„Seker. Ek weet nie, sy sê nooit baie nie. En Elsa staar natuurlik afkeurend in die verte wanneer ek by die vierde glas kom, alhoewel sy my onder die tafel sou kan drink as sy wou."

„Jy verbeel jou net dat Elsa so vyandiggesind is."

„Nee, nee," antwoord hy dadelik. „En jý vind haar ook nie sulke aangename geselskap nie, anders sou jy nie so gou ná haar aankoms padgee nie."

„Die twee dinge het geen verband met mekaar nie. Maar eintlik het ek tog oorbodig geword sedert sy gekom het."

Die kinders kom tierend oor die strand aangehardloop en skop sand oor die terras waar ons sit. Terwyl hy saam verbydraf, sien ons kelnertjie hoe Johan vir hom wink, en hy swenk af in die kafee om nog wyn te gaan haal terwyl sy maats verder hardloop.

„As ek saam met jou begin drink, kan ek nooit sê dat ek genoeg het nie," sê ek vir Johan. „Jy luister in elk geval nie."

„Wyn laat jou goed voel en maak die lewe draaglik," sê hy terwyl die seuntjie met nog twee bekers aankom.

„Dis waar."

„Wat dink jy van Elsa?" vra hy in dieselfde asem, amper op dieselfde toon.

„Dis moeilik om te sê, ek het nouliks met haar gepraat, afgesien van gemeenplasies. Maar ek kan nie sê dat ek baie aangetrokke voel tot haar nie."

„Ek het gedink dat julle miskien vriende sou word, maar my vrees was blykbaar ongegrond."

Hy praat 'n bietjie spottend, soos gewoonlik wanneer hy Elsa bespreek. „Jy klink voldaan daaroor," sê ek.

„Ek is bly dat ek darem nie die enigste mens is wat moeite het met haar nie."

„Het jy ooit iets gelees wat sy geskryf het?" vra ek.

„Nee, ek is nie letterkundig van aard nie."

„Ek probeer onthou wat ek oor haar boeke gehoor het, maar ek weet net dat hulle goed ontvang is. Ek sou graag iets van haar wil lees noudat ek haar leer ken het."

„Hilde het al haar boeke, of al twéé, in elk geval; sy het dit present gekry, met 'n opdrag op die skutblad." Die onderwerp begin hom egter reeds verveel.

„Hulle twee kom goed met mekaar klaar," sê ek.

„Hilde en Elsa? O ja, dit was altyd so gewees. Toe ek Hilde leer ken het, die tyd toe hulle nog saam gewoon het in Parys, het Elsa my amper laat voel dat ek 'n indringer in hulle vriendskap is, en nou het sy dit net só hervat ná al die jare dat hulle mekaar nie gesien het nie." Hy sit en mymer oor sy wyn. „Eintlik behoort ek seker met haar te gaan swem of stap of bergklim of so iets, sy's 'n aktiewe soort mens wat brand om dinge te doen, maar ek voel nie lus nie. My pogings om mense tuis te laat voel, is gewoonlik sporadies, tensy dit mense is van wie ek hou." Dan kyk hy na my. „Jý het dit ook al gemerk, nè?"

„Jy het jou werk," sê ek aarselend. „Ek het al vir Hilde gesê ek hoef glad nie onthaal te word nie."

„My werk is nie so belangrik nie, dis 'n plaasvervanger vir ander dinge, iets om as verskoning te gebruik vir al my gebreke en tekortkomings. Op sigself beteken dit min genoeg."

Dit is die tyd van die aand wanneer dit altyd duidelik begin word dat hy te veel drink. Hy verloor nie beheer oor homself nie, maar praat met 'n nogal wrang selfspot wat maklik in neerslagtigheid oorgaan. „Ander mense dink nie so nie," merk ek op. „Ek weet nie baie van kuns af nie, maar ek weet dat jou werk geprys word."

„Miskien," sê hy, „deur mense wat my skilderye oor glasies sjerrie bekyk by die opening van een of ander tentoonstelling, netjies ingelys op 'n ry aan die muur. Wanneer hulle uiteindelik daardie stadium bereik het, is hulle dalk ook bevredigend, maar as jy sien hoe hulle tot stand kom, al die gesukkel en geknoei en mislukking, altyd net mislukking; jy probéér altyd om iets uit te druk en jy slaag nooit nie."

„Mens moet seker maar aanhou probeer," antwoord ek.

„Jý doen niks nie, skryf of skilder of so." Hy sê dit skerp, soos 'n beskuldiging.

„Nee."

„Dan lyk dit vir jou natuurlik mooi, dan kan jy dit van buite bekyk en allerhande verhewe teorieë oor die kuns aanhou. Ek is siek van die kuns, ek is siek daarvan om buite die lewe te staan met my kunstenaarskap en te moet hoor hoe dit my vir alles behoort te troos."

Dit het donker geword en ek kan sy gesig nie meer sien nie; die spelende kinders het die strand verlaat, en dit het stil geword.

„Jy staan nie heeltemal buite die lewe nie," sê ek, „anders sou jy nie kan skilder nie. Kuns kom tog voort uit die werklikheid, al is dit ook nodig dat jy jou daaraan kan ontheg."

„Koel, besadigde, onbewoë teoretikus," sê Johan spottend, maar sy stem is nie onvriendelik nie.

„Ek probeer net om iets te sê," werp ek teë, maar hy hoor my nie. „Ek is moeg vir die onthegting," sê hy, „vir die afsondering, vir die hoogdrawende woorde waarmee dit alles ingeklee word. Ek is moeg vir die gesukkel en die eensaamheid en frustrasie . . ." Hy haak vas, en ek aarsel, verbaas oor hierdie heftigheid.

„Wat sou jy dan in die plek daarvan wil hê?" vra ek uiteindelik.

Hy is vir 'n lang tyd stil. „Ek weet nie," sê hy dan; „in elk geval nie hoe om dit uit te druk nie. Mense, samesyn — ek weet nie."

„Jy het gesê dat die werklikheid nie belangrik is nie, dat mens jou daaraan kan onttrek en van drome en simbole lewe."

„Ja, ek het dít ook gesê, jy onthou goed. Mens sê baie teenstrydige dinge. Maar op 'n goeie dag kry jy tog genoeg van drome en simbole, jy word moeg daarvoor om van mooi woorde en ideale te lewe, en jy verloën dit alles net so en jy draai om en laat spaander. Jy besef dat jy alleen is, en dan skreeu jy sommer, sonder die minste trots; jy skreeu blindelings in die donker en hoop dat iemand jou sal hoor en antwoord gee."

Ons is stil oorkant mekaar aan die tafeltjie. Die seuntjie van die kafee het verdwyn, seker weer agter sy maats aan, en ons bly soos gewoonlik in die donker van die toenemende skemer.

„Ek is dronk," sê Johan.

„Jy kan maar skreeu."

„Wat?" Ek het te sag gepraat, hy het my woorde nie gehoor nie.

„Jy kan maar skreeu."

Ná 'n tyd steek hy 'n sigaret aan. „Ek drink te veel," sê hy, „jy het gelyk, Hilde het gelyk — julle almal. En as ek die minste aanmoediging kry, begin ek praat."

„Ek kan luister."

Hy kyk na my, die brandende vuurhoutjie nog in sy hand. „Ek weet niks van jou af nie," sê hy voordat hy dit weer uitblaas.

„Cynthia het tog geskryf om julle oor my te vertel voordat ek gekom het."

„O, sy't gesê wie en wat jy is en waar jy vandaan kom, niks meer nie.

Ek weet nog altyd niks meer as daardie feite nie, ná al die tyd wat jy hier is."

„As daar nog dinge is wat jy wil weet, kan jy maar vra."

„Dis nie 'n kwessie van vraag en antwoord nie; jy wil jou net nie prysgee nie, jy bly verborge, jy kruip weg agter veralgemenings of ironie."

Hy wag dat ek hierop moet antwoord. „Miskien," sê ek.

„Hoekom?"

Ek soek na een of ander ontwykende antwoord, maar kan geen vind nie, en ten slotte maak dit ook nie saak nie, hier in die vertroulikheid wat die wyn en die anonieme donker tot stand gebring het.

„Dis die maklikste," sê ek. Ek is moeg ná my lang tog oor die eiland, en terwyl ek praat, merk ek dat my tong begin sleep. „Jy kan maklik wegkom, jy kan heelhuids ontsnap sonder om seergemaak te word."

„Is dit dan die belangrikste, selfbehoud?"

„Dit is belangrik." My glas is leeg. „Nóg vrae?"

„Jy dink dat ek ongeskik is."

„Nee," sê ek.

„Nou gaan jy sê dat dit aandetetyd is en dat Hilde wag en jy moet gaan."

„Hoe het jy geweet?"

„Gewoonte. Ek ís ongeskik, nie net vanaand nie, maar solank as wat jy hier is; Hilde het seker al probeer om vir my verskoning te maak. Is dít waarom jy wil weggaan?"

„Nee," sê ek. „Ek het dit tog al eerder gesê — glo jy my nie? Jy het geen verpligtings teenoor my nie."

„Ek praat nie oor verpligtings nie, dis nie uit pligsgevoel dat ek hier met jou sit en gesels nie. Is dit net beleefdheidshalwe dat jy bly luister?"

„Nee," sê ek.

„Dis interessant om iemand te leer ken," sê Johan dromerig. „Soos 'n lang ontdekkingsreis, soos 'n lang tog onderwater, wanneer jy afdaal sonder om te weet wat jy gaan vind."

„Of soos wanneer jy skreeu en nie weet wie gaan antwoord nie." Hy sit sy glas neer. „Ek gaan huis toe," sê ek.

„Hilde is nie alleen nie, Elsa is by haar."

„Ek weet, maar ek het genoeg gedrink en ek is honger."

„En ék het ook genoeg gedrink, wil jy sê?"

„Ja, soos gewoonlik."

In die donker hoor ek hom lag. „Mag die hemel my beskerm teen mense wat weet wat goed vir my is," sê hy, maar hy staan op en kom saam met my terug huis toe.

Van Hilde het ek een van Elsa se boeke geleen. Dit was haar eerste roman, in Suid-Afrika geskryf voordat sy oorsee gegaan het: die omslagreklame het van die werk van 'n jong student gepraat, en die opdrag aan Hilde voor in hierdie eksemplaar is geskryf in die tyd toe hulle in Parys gewoon het. Elsa het daardie oggend vroeg al aangekondig dat sy 'n lang ent gaan stap, en nog voor die ontbyt vertrek, sodat ek vry gevoel het om op die diwan op die terras te lê en lees. In die hitte kon ek egter nie my aandag by die boek hou nie: die vaal, verslae plattelandse mense met hul predikante, ouderlinge en diakens was te vertroud en te terneerdrukkend om my te boei; die skryfstyl was stram en 'n bietjie onbeholpe, die wederkerende simboliek van kersvlam, brood en water te opvallend. Ek het die boek op die bed langs my laat lê en die wind het die blaaie omgefladder.

„Hou jy nie daarvan nie?" vra Hilde.

„Mens moet te veel konsentreer."

„Dis nie 'n máklike boek nie," sê sy nadenkend. „Maar ek dink dat dit 'n góéie boek is."

Johan het dorp toe gegaan vir inkopies, fluitend by die tuinpaadjie af met die leë tas oor sy skouer. Julien roep na iets waar hy in die tuin onder die oleanders speel, maar hy verwag geen antwoord nie. Ek behoort te volhard met hierdie verrassend suiwer debuut, hierdie besonder innige en deurdagte roman vol piëteit, hierdie klein juweel van ons nuwer prosa — ek onthou nog die pasklaar uitdrukkings wat resensente in sulke gevalle gebruik en indertyd ook vir Elsa se eersteling voor die dag gehaal het, — maar ek kan nie genoeg belangstelling bymekaarkry nie.

Ek gaan swem, maar voordat ek die strand bereik, het ek al van besluit verander: ek wil in die binneland ingaan en die berge klim om uit te kyk oor die blou van see en lug. Voor my op die kruin van die berge het die helder mure van 'n kerkie my aandag getrek waar hulle die sonlig vang, en ek het soontoe gestap. Ek kon geen pad teen die berg op sien nie, en as daar 'n voetpaadjie was, was dit onvindbaar tussen die lae bossies en die klippe. Ek stap oor die velde en blindelings teen die kaal, klipperige helling op. Ek onthou nog hoe mooi die dag was en hoe die skielike besef hiervan my verras het, sodat ek alle ander dinge vergeet het terwyl ek klim, dronk van die yl lug, die ruimte en die sonlig.

Toe ek die bergtop bereik, was dit baie stil, want die gedreun in my ore het oorgegaan en ek kon niks meer hoor nie as die wind. Ek het uitgekyk oor die see, glansend langs die wit kus van die eiland: ek kon die bruin velde sien, die verdorde landerye, die paaie; boerderye kon ek sien, en wit dorpies op heuwelkruine, en berge wat wasig word in die verte.

Ek het na die kerkie gestap, maar daar was niks nie, net 'n vierkantige gebou met ruwe, afgewitte mure, hoë vensters waardeur ek nie na binne kon kyk nie, en 'n deur waarvan die verf reeds lankal afgeskilfer is deur die son: 'n votiefkerkie, 'n kapelletjie, 'n geboutjie waarheen niemand ooit kom nie langs die steil en onseker helling van die berg.

Ek het daar bly staan terwyl die handdoek wat ek saamgeneem het strand toe, los om my nek flap in die wind. Eers toe ek wegdraai en omdraai, het ek Elsa gesien waar sy op 'n rots bly sit het sonder om te beweeg of my aandag te probeer trek.

„Waarvoor is die handdoek?" vra sy terwyl ek na haar toe stap.

„Ek wou gaan swem, maar ek het halfpad van plan verander."

„Toe kom klim jy liewer berg? Ek sit al vir jou en kyk vandat jy hier onder in die pad aankom. Jy doen dit baie onwetenskaplik."

„Ek is nie 'n wetenskaplike mens nie."

„Het jy sigarette by jou?"

„Toevallig, ja."

„Ek het myne by die huis laat lê, ek krepeer al heeloggend van ellende."

„Het jy nog nie geëet nie?" vra ek. Sy krom haar hande om myne terwyl ek ons sigarette aansteek.

„'n Ou vrou wat ek langs pad gekry het, het my 'n paar vye en 'n stuk brood gegee, seker deel van haar eie padkos. Sy was op pad na haar getroude dogter aan die ander kant van die eiland, 'n ou vroutjie in swart op 'n esel."

„Kan jy dan Grieks praat?" vra ek.

„Ek ken so 'n honderd woorde, en ek het op pad deur Griekeland 'n paar nuttige uitdrukkings geleer. Die res doen jy maar met gebaretaal. As jy genoeg belang stel, kan jy wel verstaan."

Ons sit langs mekaar en uitkyk oor die eiland. „Gaan jy hier bo bly?" vra ek.

„Ek dink ek gaan maar af strand toe. Kom jy saam?"

„Ek gaan verder stap."

„Kom jy huis toe vir middagete?"

„Seker nie, ek weet nie. Sê maar vir Hilde ek het gaan stap."

„Is sy by die huis?"

„Sy was nog daar gewees toe ek weg is. Johan is dorp toe om inkopies te doen."

„Ek het nie geweet nie, anders sou ek saamgegaan het."

„Ek sien jou weer," sê ek.

„Sien jou," sê sy. Ek stap weg, en wanneer ek later omkyk, is sy besig om huis toe te stap langs die berghelling af, haar trui om haar heupe vasgeknoop. Ek daal in 'n kloof waar die wit mure van een of ander klooster tussen die bome blink, en hoor stemme wat roep, weerkaats teen die bergwand, en die geluid van metaal teen klip in die trae stilte, maar ek vermy die groen en stap oor die velde. Voor my in die verte tril die wit dorp in die sonskyn. Miskien is Johan nog daar, dink ek, besig met inkopies, want hy is nie so lank voor my van die huis weg nie, en ek gaan oor die velde daarop af, totdat ek uiteindelik in die koelheid van die verlate straatjies staan sonder om te weet waar ek moet begin soek. Nêrens waar ek in die skemerigheid na binne tuur, kon ek Johan vind nie.

Dit is hoog middag en die son brand neer op die wit mure en stofstrate. Verblind deur die gloed soek ek 'n eethuisie, een of ander arbeiderskafee waar die eienaar my gebraaide skywe murgpampoen voorsit met klewwe Griekse witbrood en 'n kan wyn. Daar is geen haas nie, en wanneer ek klaar geëet het, bly ek nog sit oor my wyn agter in die kaal klipvloervertrek. By 'n tafeltjie in die hoek het die eienaar aan die slaap geraak met sy kop op sy arms, en ek voel hoe ek self ook slaperig begin word in die hitte. Johan sit buite die dorp op my en wag in die skadu van die bloekombome, onthou ek verward, en ek moet na hom toe gaan, maar dan raak ek ook aan die slaap.

Hy is egter nie daar nie; wanneer ek later op pad terug huis toe by die klipmuur en die bloekombome verbykom, is daar niemand nie. By die huis sit hulle al drie op die terras, Johan, Hilde en Elsa; hulle het koffie gedrink, daar staan leë koppies rond, Julien se speelgoed lê oor die terras versprei.

Hilde gaan vir my koffie skink. „Wil jy iets hê om te eet?" vra sy.

„Dankie, ek het in die dorp geëet."

„Was jy in die dorp gewees?" vra Johan skerp.

„Ja. Ek het jou nie gesien nie, jy was seker al weg gewees."

Dit is tyd vir die gebruiklike ritueel van tuinnatgooi: Johan begin die emmers water ophaal, en dan gaan Elsa hom ongevra help terwyl ek nog my koffie drink. Hulle praat saam terwyl hulle besig is, oor die tuin en die groente.

„Julle is vanmiddag almal baie huislik," sê ek vir Hilde.

„Dis seker omdat dit so warm is," sê sy, „nou is ons tevrede om net hier te sit."

Wanneer Elsa klaar is met die werk, gaan sy op die grond met Julien se blokke sit en speel. Ek neem haar boek weer op, want dit is oorgetrek met bruin papier en sy sal dit nie herken nie; Hilde lees Stendhal. In die kombuis hoor ons die geplas van water terwyl Johan hom was. Langs die voetpaadjie kom die ou boerevrou van agter die heuwel boontoe gesukkel met 'n stok waarop sy leun, glimlag ons toe, en sukkel verder sonder om te praat. Dit is vredig, dink ek by myself, en bly ingedagte voor my uit staar terwyl haar voetstappe wegsterf; wanneer was dit laas so vredig gewees? Die boek bly weer vergete lê.

Johan het hom gaan verklee, en kom na buite in swart, in plaas van die verfbesmeerde hemp en ou spykerbroek wat hy gewoonlik dra.

„Jy's deftig," sê Elsa. „Is dit jou kisklere?"

„Ja, vir die verandering," antwoord hy terwyl hy 'n sigaret aansteek. „Ek het ongelukkig niks deftigs saamgebring nie."

„Hier op die eiland is dit nie nodig om jou spesiaal aan te trek nie," sê Hilde.

„Daar moet tog êrens 'n uitgaanplek wees, een of ander restaurant, al is dit maar iets vir die toeriste."

„In die stad, waarskynlik."

„Ons moet een aand soontoe gaan."
„Ons het nie vervoer nie. En dit is so moeilik met Julien."
„Een dág dan."
„Kom jy kafee toe?" vra Johan onder hulle gesprek deur, en eers wanneer ek opkyk van die boek, besef ek dat hy met mý praat.
„Ja, goed," sê ek dan. „Ek gaan net 'n ander hemp aantrek."
„Gaan jy weer weg?" hoor ek Hilde vra terwyl ek in die slaapkamer besig is.
„Wat bedoel jy wéér?" vra Johan. „Ek was tog heelmiddag hier gewees."
„Dít was seker vir jou 'n opoffering," merk Elsa op waar sy op die grond met die blokke bou. Julien ignoreer haar terwyl hy alleen in 'n hoek van die terras met skulpe sit en speel. „Gelukkig dat Ruud jou kom verlos het."
„Jy klink asof jy my van iets beskuldig," sê ek. Ons stap al af na die tuin, ek en Johan. „Hy sit al heelmiddag en wag dat iemand hom moet kom bevry," sê Elsa, „'n Ridder te perd, in 'n helder harnas, 'n prins wat met sy silwer swaard 'n pad oopkap deur die dorings rondom die betowerde kasteel..."
Sy sit met haar rug na my toe, verdiep in die speelgoed, en praat afgetrokke, sodat ek nouliks weet hoe om haar woorde op te neem.
„Jy moet nie so sleg voel daaroor nie," sê ek ligweg.
„Watter rol is daar vir mý in die sprokie?" vra sy op dieselfde afgetrokke toon. Hilde kyk ons onbegrypend aan.
„Dit hang daarvan af wátter sprokie jy mee besig is," sê ek. „Jy kan altyd die bose stiefmoeder wees."
Ek gaan agter Johan aan deur die tuin. „Wat makeer Elsa?" vra ek.
„O, sy's al heeldag in so 'n stemming, joos weet hoekom."
„Ek het haar boek begin lees, die eerste een, maar dis nogal moeilik om dit met háár in verband te bring."
„Miskien is dit maar net ék wat die onaangename kant van haar persoonlikheid na vore bring," sê Johan. „Moontlik is sy 'n gawe mens, ek weet nie. Dit interesseer my in elk geval nie." Die manier waarop hy dit sê, maak dit duidelik dat hy nie meer oor Elsa wil praat nie. „Kyk na die lug," sê hy. „Kyk hoe verkleur die see."
Ek gaan staan in die pad om uit te kyk oor die strand in die baai in die laaste daglig en wil iets sê, maar voordat ek dit kan doen, praat Johan weer.
„Jy het gister iets oor Elsa gesê, ten minste, jy't iets gesê toe ons oor haar praat, dat jy oortollig geword het sedert sy hier is."
„Ja," sê ek, „ek onthou."
„Wat het jy daarmee bedoel?"
„Eers was ek ten minste nog geselskap gewees vir Hilde, maar noudat Elsa hier is, is dit ook nie meer nodig nie."
„Het jy dan net om Hilde se ontwil hier gebly?"

„Ons het goed met mekaar oor die weg gekom, ek hou van haar, en van Julien."

„En wat is jou oordeel oor mý?" vra hy. Hy bly in die pad staan, bokant die rotse van die strand waar die laaste baaiers na mekaar roep, en ek kan sy vraag nie ontwyk of al wandelend in gemeenplase daaraan ontkom nie.

„Jy het nie ander mense nodig nie," sê ek. „Verder weet ek niks van jou af nie."

„Is dit die indruk wat ek jou gee? Ek het probeer verduidelik, maar ek het nooit geleer om my in woorde uit te druk nie, en dis moeilik genoeg selfs vir dié wat dit kán doen. Ek het darem probeer, gisteraand nog by die kafee. Wat dog jy dan wou ek sê?"

„Was dit vir mý bedoel gewees?" vra ek.

„Het jy dan gedink dat dit 'n beskonke monoloog is waarby jy toevallig teenwoordig is?"

Ek draai weg. „Kom ons gaan drink iets," sê ek, maar hy beweeg nie.

„Moet ek dit nog duideliker sê?" vra hy. „Heeltemal reguit, al doen ek dit ook maar onhandig? Moet ek jou uitdruklik vra om te bly? Asseblief?"

Ek kyk na hom, en ek weet dat ek toe geglimlag het oor sy skielike erns. „Kom ons gaan drink iets," het ek herhaal, maar hy het geweet dat dit 'n antwoord is op sy vraag, en ons het saam oor die strand na die kafee gestap en oor ander dinge begin gesels.

Die son gaan onder, die dag gaan verby, jy kan dit nie bewaar nie, in woorde of in die herinnering. Die see glans kleurloos; die laaste sonlig val oor die strand waar daar nog mense speel, en kinders. 'n Eseltjie staan en wag, die golwe spoel aan, mense speel met 'n bal. Op een of ander manier, dink ek, moet ek dit onthou, moet ek probeer om dit te onthou. Ons stap oor die strand en bereik die terras van die kafee.

Elsa wil dat ons almal saam met die bus stad toe gaan om inkopies te doen en in een van die restaurants langs die hawe bly eet, maar Hilde verset haar teen die voorstel. „Waarom gaan júlle drie nie?" vra sy.

„Jy reageer asof ons 'n reis om die wêreld wil onderneem," sê Elsa ongeduldig. „Ek weet nie waarom het jy so 'n beswaar teen 'n busrit van 'n halfuur nie."

„Dis nie maklik om Hilde van die huis af weg te kry nie," merk Johan op.

„Het jy ooit probeer?" vra Elsa, maar wag nie op 'n antwoord nie. „Liewe hemel, Hilde, jy sit hier aan die huis vasgekluister soos een van daardie ou Griekse vrouens in swart."

„Ek was nooit so lief gewees vir uitgaan soos jý nie," probeer Hilde haar verweer.

„In die ou dae was jy darem lewendiger gewees as nou." Sy sê dit verwytend, en Johan bly geamuseerd na haar kyk. Ek het begin agterkom dat hy hierdie glimlaggende stilswye gebruik om haar te irriteer.

„As julle vir 'n oggend stad toe wil gaan, kan ék tog by Julien bly," bied ek aan.

„Of ék kan bly dat júlle gaan," sê Johan. „Daar is allerhande moontlikhede, nè Elsa?"

„Die een is nog meer opofferend as die ander," sê Elsa.

„Hilde, gaan nou in hemelsnaam stad toe met Elsa dat sy rus kan kry vir haar siel," sê Johan. „Ek sal by die huis bly."

„Ek het ook nie so 'n behoefte om stad toe te gaan nie," sê ek, want ek voel nie baie lus vir haar geselskap nie en glo ook nie dat dit haar sal skeel as ek nie saamkom nie.

„Nou toe dan," sê sy sonder om te probeer om Johan of my oor te haal om te kom. Hilde steek haar hande op en lag. „Goed, goed," sê sy, en dit is afgespreek dat hulle twee sal gaan. Elsa lyk tevrede, haar vae rusteloosheid weer oor terwyl sy die besienswaardighede van die stad in die *Guide Bleu* naslaan.

Hulle het die bus van twaalfuur gehaal, en Johan het met hulle saam gegaan tot by die dorp, waar hy iets moes koop, olyfolie of vrugte of brood, iets vir ons middagete, want Hilde en Elsa sou eers teen die aand terugkom. Soos gewoonlik was daar aan die ontbyttafel 'n lang bespreking gewees oor die noodsaak vir hierdie inkopies, maar Hilde het geen aandag geskenk aan Johan se besware terwyl sy met Elsa bespreek of hulle swemklere moet saamneem of nie: sy het net vir 'n oomblik nog geaarsel toe sy my vra of ek nie omgee om alleen agter te bly of om Julien op te pas nie. „Is jy seker jy wil nie saamkom nie?" het sy nog 'n keer gevra, maar ek het net gelag en hulle agterna gewuif. Elsa het 'n afskeidsgebaar in my rigting gemaak en al begin wegstap sonder om om te kyk, met net so min behoefte aan mý geselskap op die tog stad toe as ek aan háre. „Ek sal oor 'n uur terug wees," het Johan vir my geroep terwyl hy hulle volg met die inkopiestas oor sy skouer; en toe was hulle weg op die pad na die hawe waar hulle die bus sou haal, en ek was alleen met Julien wat in die skadu met sy skulpies speel. Ek het by hom gaan sit, en hy het my woordeloos in sy spel aanvaar en my bydraes daartoe oorweeg en goedgekeur as dié van 'n gelyke, nie van 'n meerdere of buitestaander nie. Ons het goed met mekaar oor die weg gekom, die kind en ek, en ons kon lank in tevrede stilswye met dieselfde klippies, skulpe of blokke besig bly soos nou in die skadu van die terras.

Algaande het hy egter weer van my vergeet: toe ek opkyk, versteur ek nie die spel waarin hy hom murmelend verdiep nie; wanneer ek opstaan en van hom wegstap, merk hy dit nie eers nie. Hilde en Elsa sal seker al in die hawestadjie wees, dink ek; hulle sal langs die glansende wit straatjies stap, verby die koerantkiosks, die vertoon van poskaarte en sonbrille en sonbrandolie, die opsigtig geklede besoekers van die vasteland. Johan het egter nog nie teruggekom nie.

Waar ek op die rand van die terras bly sit, Elsa se boek in my hand, begin dit vir my duidelik word hoe Hilde voel wanneer sy hier alleen is en wag; ek kan verstaan hoe sy skielik opkyk, haar aandag afgelei, haar woorde onderbreek, wanneer sy 'n geluid hoor wat sou kan beteken dat daar iemand aankom, en hoe sy saans bly sit sonder om die boek op te neem wat sy probeer lees, net sit en kyk na die bladsy voor haar, of later nie eers meer kyk nie maar blindelings voor haar uit staar totdat Johan kom. Die huis staan eensaam hier op die hoogte en die naaste bure is ver weg, sodat jy geen vertroude geluide hoor nie, net daardie verre gespoel van die see waarin alle dinge vasgehou word soos in die ruisende kelk van 'n skulp.

Hoe gaan die dae vir Hilde om? wonder ek, uitgestrek in die skadu; hoe het hulle verbygegaan voordat Elsa gekom het, voordat ék gekom het? hoe het sy hulle gevul met die klein bedrywighede van die huishoue, die wandelinge na die strand met Julien, die kinderliedjies wat sy vir hom sing, briewe en tydskrifte van oorsee, Stendhal? Af en toe 'n besoek aan die stad, en dan weer hierdie huis op die hoogte, die terras, die prieel, die kombuis, die lang stilte waarin sy dromend alleen bly terwyl sy wag op die klank van Johan se voetstap en sy onreëlmatige kom en gaan.

Ek het nog hier gesit toe Johan terugkom, warm en stowwerig in die hitte.

„Kan ek vir jou koffie maak?" vra ek.

„Ja, dis goed," sê hy ingedagte. Hy het die posbode langs pad gekry en 'n paar briewe saamgebring wat hy begin lees het, die inkopiestas onuitgepak. „O, ons kon sommer wyn gedrink het," sê hy wanneer hy opkyk en sien dat ek koffie gebring het. „Jammer, ek het begin lees..."

„Iets interessants?" vra ek.

„Nee, net kletspraatjies, mense wat wil weet wanneer ons terugkom, iemand vir wie ek nog geld skuld . . . Dis seker al teen eenuur se kant," voeg hy by.

„Ek skat so."

„Hilde en Elsa kom met die vyfuurbus terug." Julien het na hom toe gekom en hy het die kind op sy knie geneem terwyl hy praat.

„Is jy honger?" vra ek.

„Dis seker nie 'n slegte plan as ons maar eet nie; Julien moet in elk geval sy ete kry. Ek sal iets gaan klaarmaak."

„Toe maar," sê ek, „ék sal," en hy bly daar sit en speel met Julien terwyl ek die brood, die vrugte en die wyn gaan haal, die borde en die glase, en die tafel hier buite dek.

„Dis stil wanneer jy alleen is," sê ek.

„Ja, ek het vergeet hoe stil dit kan wees – eers het jý gekom en toe

Elsa, teenswoordig is daar altyd iemand by die huis, gesprekke aan tafel..."

„Hinder dit jou?"

„Nie eintlik nie, al word ek soms ongeduldig, maar dis net omdat ek prikkelbaar raak wanneer ek werk. En dis goed vir Hilde. Ek is bly Elsa het haar vandag weggesleep stad toe."

„Ek hoop sy het nie omgegee dat ek nie wou saamkom nie."

„O nee, hulle twee is gelukkig, hulle het genoeg om oor te gesels." Hy sit vir Julien en voer: dit gebeur nie dikwels dat hy hom met die kind besig hou nie, maar wanneer hy dit doen, is hy verbasend sorgsaam en geduldig.

„Hinder die stilte jou?" vra hy.

„Nee, ek hou van stilte."

„Ek het so gedink. Jy lyk asof jy baie goed in jouself kan lewe sonder om iets van buite af nodig te kry."

„Die meeste mense kan, in elk geval as dit nodig word, behalwe die oppervlakkiges. Die meeste het 'n eie krag waarop hulle kan teer."

„Soos Hilde; daar is ook baie in háár agter die stilte."

„Dis ook maar goed. Anders sou sy haar seker maar moeilik by hierdie soort lewe aanpas."

„Sy sou graag teruggaan na Holland; sy sou graag weer in Amsterdam wil woon."

„Hierdie eiland moet dan vir haar 'n opoffering beteken."

„Ons lewe saam was vir haar net een lang reeks opofferinge gewees, maar sy maak hulle sonder om 'n oomblik te aarsel, hóé sy dit ook regkry."

„As jy iemand liefhet, gee dit jou die krag om opofferings te maak."

„Miskien." Met een hand probeer hy 'n sigaret aansteek, sy arm om Julien, wat klaar geëet het en nou half aan die slaap teen hom aanleun. Ek neem die vuurhoutjies en doen dit vir hom. „Liefde kan belemmerend wees, dit kan jou wurg met sy krag."

„As jy nie sterk genoeg is om dit te dra nie."

„Ek is ook nie so danig sterk nie. Dis Hilde wat my steun met haar opofferings en geduld en begrip." Hy sê dit egter sonder waardering, byna soos kritiek. „Ja, daar is inderdaad baie agter haar stilte verborge, ek verbaas my gedurig nog oor haar, selfs ná die tyd wat ons al getroud is. Jy leer mense eintlik nooit ken nie. Jy kyk na hulle, en skielik staan jy voor 'n afgrond."

„Soms kyk jy na jouself en sien jy 'n afgrond," sê ek. Johan staar na my deur die sigaretrook, die kop van die slapende kind op sy skouer.

„En dan?" vra hy.

„Dan moet jy maar leer om op die rand van 'n afgrond te lewe."

„En as jy aan hoogtevrees ly?" vra hy met 'n halwe glimlag.

„Dan word dit baie ongemaklik."

„Jy is nie regtig so nugter en saaklik soos wat jy probeer voorgee nie," sê hy, nog voordat ek klaar gepraat het. „Jy kan dit onmoontlik wees."

„Hoekom nie? Hoe kan jy dit ná 'n paar weke sê?"

„Nou word jy weer aggressief. Sedert jy hier gekom het, het jy nog niks gedoen as jou teen my te probeer verdedig nie."

„Omdat jý nog niks anders gedoen het as om my aan te val nie."

„Ek het dit nie so bedoel nie. Ek wil vriende wees met jou."

„Ja," sê ek.

Ons kyk na mekaar, en dan begin ons albei lag. Oor die tafel gee ons mekaar 'n hand.

„Hilde en Elsa is nou in die stad," sê Johan. „Hulle was in die bus al opgewonde en uitbundig gewees; hulle is altyd opgeruimd wanneer hulle saam is. Ons twee is agtergelaat."

Hy neem Julien op en dra hom na sy eie bed in die hoek van die terras, waar die kind hom uitstrek sonder om wakker te word, stowwerig in sy swembroekie ná die oggend se spel.

Ons neem nog koffie, ek steek vir my ook 'n sigaret aan, en ons gaan op die ander diwan sit, agteroor geleun teen die muur van die terras.

„Ek weet nie hoe die Grieke dit reggekry het om nog kunswerke voort te bring nie," sê Johan. „Alles is lui en lomerig, jy strek jou uit in die skadu en luister na die see — wie voel nog lus om met 'n hamer en beitel aan 'n stuk marmer te staan en kap?"

„As jy die besieling het, sal jy seker lus voel," sê ek.

„Ja, besiéling — dis iets wat ek lank laas gehad het. Ek verkies teenswoordig maar die strand, die terras, 'n kafee langs die water . . ." Hy sê dit met 'n sekere bitterheid.

„Ek kan verstaan dat daar soveel wysgere onder die Grieke was," sê ek. „Al daardie eindelose gepraat in koel suilegange . . ."

Hy glimlag. „Ek is moeg vir woorde. Hoe meer mens praat, hoe meer draai jy alles toe, totdat dit heeltemal onsigbaar geword het. Woorde verklaar niks nie, hulle maak net onduideliker."

„Wat is daar dan anders as woorde?" vra ek.

„Dade — nie praat of dink of oorweeg nie, net dóén, net die enkele helder daad. Handel, soos iemand wat van die rotse in die see in duik."

„Ek hou nie van die see nie," merk ek op.

„Is dit hoekom?"

„Hoekom wát?" vra ek, maar hy staan op en stap van my weg.

„Ek is ongeskik soos gewoonlik, sonder om selfs te kan voorgee dat ek dronk is." Kaalvoet stap hy op en neer op die terras terwyl hy rook, en gooi die sigaret ongeduldig weg wanneer hy klaar is. „Jy swem tog," sê hy.

„Ja."

„Ek sal jou leer duik, onderwater swem."

„Liewer nie."

„Jy hoef nie in die diep water te gaan nie. Jy moet 'n duikmasker opsit en onder die water kyk — dis 'n nuwe wêreld, 'n ander ligval, alles anders. Kom saam," sê hy, „dan gaan ons swem."

„Wat van Julien?" vra ek.

„O ja, Julien. Ons kan gaan wanneer hy wakker word — kom jy saam?" Hy het weer geesdriftig geword, soos gewoonlik wanneer hy oor die see praat of oor die kuns: hy vergeet dan alle ander dinge, selfs die sigaret wat hy vashou, soos nou waar hy begin het om 'n nuwe aan te steek. „Ons kan hier onder by die kranse gaan, dan hoef ons hom nie so ver te dra nie . . ."

Dis die strandjie onderkant die huis wat hy bedoel, net anderkant die grootpad, waar hy soggens altyd alleen gaan swem wanneer hy opstaan. Jy bereik dit met 'n steil, klipperige voetpaadjie wat op plekke wegbrokkel na die see daaronder, klim oor rotse, en bereik tussen hulle 'n smal, beskutte strokie klipperige strand. Wanneer Julien wakker geword het, dra ek hom af soontoe agter Johan aan, vir 'n oomblik huiwerig waar die grond voor my voete wegval.

„Is dit nie gevaarlik nie?" roep ek na Johan waar hy soos gewoonlik 'n ent voor ons uit stap. „Moet ek hom vir jou dra?" roep hy terug sonder om my vraag te begryp, maar ek skud my kop en hy klim verder oor die rotse. „Jy kan hier reguit in die diep water induik," sê hy. „Kyk hoe helder is dit."

Die wit sand van die seebodem dryf glansend na ons op deur die water, digby gebring met sy skulpe deur die breking van die lig, maar dit is hier te diep vir die kind en ek dra hom af na die strandjie. Onwillig loop hy aan my hand oor die spoelklippies, maar hy verloor gou belangstelling in wat die strand hom kan bied en weier om verder te gaan, sodat ek hom op 'n rots neersit en met water spat totdat hy begin lag van plesier. Johan duik van die rotse af en kom naby ons weer bo. „Wil jy met my masker probeer swem?" vra hy, maar ek wil nie.

Klein golfies breek teen die strand; agter ons is die steil rotswand van die kranse, en voor ons die see. Ek swem in die lou, loom water aan die voet van die rots waar Julien bly sit het, en kom my dan langs Johan uitstrek in die sonskyn.

„Het jy al vantevore hier geswem?" vra hy.

„Ek het al met die voetpaadjie afgestap, maar ek het nie eers die strand gesien nie."

„Dis die naaste swemplek aan die huis. Hou jy daarvan? Of nee," onthou hy voordat ek kan antwoord, „jy's bang vir die water."

„Ek het nooit gesê dat ek bang is nie."

„Maar jy ís." Hy voeg egter geen verduideliking by nie.

„Die son begin al weggaan," sê ek. „Hilde en Elsa sal seker ook al terug wees."

„Hulle kan sonder ons klaarkom. Daar's nog baie tyd." Die sonlig begin egter weggly oor die rotse, die son verdwyn agter die kranse, en die smal strandjie word in skadu agtergelaat; dit word koel; dit is tyd om terug te gaan huis toe, langs die steil paadjie met Julien op my arm. Elsa en Hilde hét ook teruggekom, en ons kan hulle hoor lag terwyl ons deur die tuin na die huis toe stap. Hulle het inkopies gedoen, hulle het onder peperbome geëet en in die hitte van die dag daar getalm terwyl die stadjie slaap, hulle het geswem en kerkies besoek, en Elsa het foto's geneem. Laggend, met die gloed van die sonskyn nog op haar gesig, strek Hilde haar arms na Julien uit om hom van my te neem; sy vertel Johan wat hulle gedoen het, opgewek na die uitstappie, en hy staan glimlaggend na haar en kyk met sy hande in sy sakke.

Elsa het haar sandale uitgetrek en sit afsydig op een van die diwans. „Ek gaan swem," sê sy, maar Johan luister na Hilde, en net ék hoor haar.

„Ons het met Julien na die strand hier onder gegaan," sê ek, sommer net om iets te antwoord, „maar die son begin al weggaan."

Sy gaan sonder dat iemand haar sien. „Waar is Elsa?" vra Hilde wanneer sy na buite kom met die koffie wat sy gaan maak het.

„Gaan swem," sê ek.

„Sy het niks gesê nie."

„Slegte humeur," merk Johan op.

„Sy was die hele dag so opgeruimd, net soos vroeër, in Parys . . ."

Hilde neurie terwyl sy in die huis rondbeweeg, en van die terras volg Johan haar met sy oë. Dit was weer soos Parys gewees, soos vroeër toe sy 'n jong meisie was wat pas skool verlaat het; voordat die lang stilte begin het, die aande alleen, die ure van wag, die opkyk by elke geluid wat sou kan beteken dat daar iemand aankom.

„Jy het die dag geniet, nè?" sê Johan vir haar.

„Ja, natuurlik het ek."

„Spyt dit jou om terug te wees?"

Sy kyk hom aan. „Waarom vra jy dit?"

„O, sommer net 'n vraag."

„Jy moenie sulke dinge vra nie, jy weet dat ek bly is om terug te wees by julle." Sy sit haar hand op sy skouer, hul stemme gedemp waar hulle bymekaar staan in die skemerigheid van die laatmiddag, sodat ek weet dat ek nie veronderstel is om hulle woorde te hoor nie. „Jy wéét dit," herhaal sy, asof sy teen sy ongelowigheid in moet praat.

„Ja, toe maar, ek weet," sê hy; „vergeet daarvan. Ek is bly dat jy 'n goeie dag gehad het."

„En jý?" vra sy dan. „Het jý ook 'n goeie dag gehad?"

„Ja, dit was goed gewees."

„Het jy gewerk?"

„Ek was lui gewees. Ons het hier sit en gesels, en gaan swem . . ."

„Ek is bly dat jy dit geniet het," sê sy. Sy bly daar by hom staan, en gaan eers weer na binne toe ons Elsa hoor terugkom van die strand.

Hierna het dit soms gebeur dat ek en Johan saam gaan swem, en hy het my ook gevra om saam te kom wanneer hy met masker en vinne êrens gaan duik. Aan die ander kant van die hawe was die kranse nog hoër en steiler en die strandjies daaronder dikwels onbereikbaar; soms het die dolende voetpaadjies langs hierdie deel van die kus ook doodgeloop, en dan het Johan sorgeloos langs die helling afgeklim, waar jy aan die stekelrige bossies teen die steilte moet vasgryp om nie te gly nie of te val na die rotse ver benede. Blykbaar was hy nie eers bewus van gevaar nie: hy het kortpad gekies na die see en ongeduldig teruggekyk na die traagheid waarmee ek volg.

Ons het geswem en op die wit strand lê en gesels. Ons kon nou makliker praat of stil wees, en hy het sy aanvanklike afsydigheid verloor, uitgestrek in die sonskyn. Net soms het hy hom sonder waarskuwing in stilswye aan die gesprek onttrek en nouliks selfs op my vrae geantwoord, sodat ons weer soos vroeër swygend huis toe gestap het. Daar was niks om die skielike ommeswaai te verklaar nie, nòg kon ek die rede daarvoor agterkom, en ek kon hom net volg met my nat handdoek en swemklere oor my arm. Hilde het blykbaar hierdie buie begryp, en hom met rus gelaat totdat hy self weer behoefte kry aan ons geselskap, maar sy stilswyende aanwesigheid het Elsa gewoonlik aangespoor tot 'n reeks opmerkings waarmee sy hom probeer uitlok. In haar rustige stem hou sy aan met haar bedekte sarkasme totdat Johan uiteindelik sy stoel terugstoot en wegstap sonder om iets te sê, en dan swyg sy.

„Was dit nodig gewees?" vra Hilde stil.

„Wát dan?" wil sy weet.

„Moet julle altyd baklei, jy en Johan?"

„Baklei ons? Hy praat nouliks met my."

„Jy probeer om hom kwaad te maak, ek weet nie waarom nie."

„Kan dit Johan dan skeel wat ek sê?" vra Elsa, maar Hilde antwoord nie, en dit is duidelik dat sy ongelukkig is oor wat daar gebeur het.

„Jammer, Hilde," sê Elsa; „ek is te skerp, ek dink nie na oor wat ek sê nie."

„Dis nie so erg nie," sê Hilde saggies.

„Eintlik wel — ís dit nie?" Sy wend haar onverwags tot my waar ek aan tafel bly sit het. „Ruud sal met my saamstem dat ek 'n venynige, versuurde oujongnooi is, nie waar nie?" Sy bly wag op 'n antwoord. „Of hinder dit jou nie so erg nie?"

„Ek kan my daarteen verdedig," sê ek.

Johan het afgestap deur die tuin en op die muurtjie bokant die pad bly sit waar ons hom van die huis nie kan sien nie. Toe ek na hom toe gaan, het hy nie eers omgekyk nie, en ek het op 'n afstand van hom gaan sit sonder om te praat.

„Met helder weer behoort jy glo nog ander eilande aan die horison te kan sien," sê hy. „Die vissers sê ten minste so."

„Dalk met 'n verkyker."

„Dalk." Hy praat egter nie verder daaroor nie. „Doen ek iets spesiaals om Elsa uit te lok," vra hy dan, „of gebeur dit alles sommer spontaan?"

„Ek weet nie. Sy't nou darem berou oor haar bitsigheid."

„Elsa?" Hy lag. „Dit klink onwaarskynlik — berou om Hilde se ontwil, miskien, nie om mýne nie. Is jy nou uitgestuur om 'n wapenstilstand te reël?"

„Nee, ek het sommer gekom. Wil jy liewer alleen wees?" Maar hy skud sy kop. Ons het 'n lang tyd daar bly sit en gesels, en daarna het ons teruggegaan huis toe. Elsa was swygsaam en skynbaar nie op haar gemak wanneer sy met Johan praat nie, maar later het ons almal af strand toe gegaan om te swem, en op die strand en in die water het ons onder mekaar begin lag en praat, sodat enige gespannenheid wat daar was, oorgegaan het.

Dit het egter nie dikwels gebeur dat Johan op hierdie manier deel van ons groep uitmaak nie, want hy het nog altyd van die huis verdwyn sonder dat een van ons hom sien gaan het of weet waar hy is. Hy het nie meer geskilder nie, en die doek waaraan hy die afgelope tyd gewerk het, het onaangeraak op die esel bly staan. Eenkeer het ek dit toevallig gesien toe ek in die werkkamer kom — dieselfde spoelende kleurpatrone as die voltooide doeke, met indigo en pers wat uitvloei in silwer en wit — en hom gevra wat hy daarmee wil uitdruk.

Hy het die doek bekyk asof hy nooit eerder daaroor nagedink het nie. „Ek weet nie," sê hy; „jy probeer maar iets, jy gaan op jou gevoel af." Hy sê niks meer nie, maar begin die doeke wat op die vloer staan stadig omdraai en een vir een bekyk.

„En slaag dit," vra ek, „wat jy probeer?"

„Ek weet nie," sê hy, „ek weet nie eers dít nie." Dan draai hy die doeke weer om met hul gesigte na die muur. „Daar's niks by wat die moeite werd is nie, niks goeds nie. Ek weet nie eers waarom ek dit alles hou nie, dit staan net die kamer vol. Kom ons gaan. Voel jy lus om te gaan stap?"

„Hilde gaan my begin verwyt dat ek jou van jou werk afhou," sê ek half skertsend.

„Hilde maak nooit verwyte nie."

„Sy sê miskien niks nie, maar sy sal dit in elk geval begin dink."

„Laat sy dit dan maar dink," sê hy met 'n ongeduldige beweging. „Kom ons gaan stap."

Die manier waarop hy sy werk begin verwaarloos het en uiteindelik dag na dag laat verbygaan sonder om iets meer daaraan te doen, het Hilde sonder twyfel begin hinder: ek kon dit merk aan die manier waarop haar oë hom volg om te sien waarheen hy gaan en wat hy gaan doen. Hy merk dit egter nie eers nie, val op een van die diwans neer en rek hom lui uit, gooi Julien in die lug op, begin iets aan die band van sy duikmasker regmaak, neem 'n ou tydskrif op wat met die pos gekom het, of bespreek met die gebruiklike teëstribbeling die inkopies wat gedoen moet word.

„Sal ek saamkom?" vra Elsa. „Ek kan ten minste help pakkies dra."

„Daar's nie soveel wat ons nodig het nie," sê hy.

Hilde bly staan by die deur van die kombuis en sê niks nie. Dan kyk Elsa na my. „Of wou jý saamgaan?" vra sy.

Ek en Johan het reeds afgespreek dat ek met hom sal saamgaan. „Ek sal gaan," sê ek. „Ek wil 'n paar dinge vir myself ook kry."

„Wat is die rede vir hierdie toenadering?" vra Johan terwyl ons die hoogte af stap na die hawe. „Eers kan sy skaars vriendelik wees, en nou wil sy glad saam met my dorp toe gaan."

„Haar bedoelings is goed," sê ek.

„Ek twyfel daaraan."

„Hoekom irriteer sy jou dan so?" wil ek weet. „Daar moet 'n rede wees."

Hy lag net. „Sy ken my seker te goed; sy ken my swak punte, sy weet net hoe om my te bekruip."

„En waarom wil sy jou dan bekruip?" vra ek, maar hy antwoord nie. 'n Man wat as passasier agter op 'n bromponie sit wat verbyraas, swaai met sy arm en roep iets terwyl wolke stof om ons opdwarrel. „Dis die kafee-eienaar," sê Johan, en toe begin hy opgewekter word terwyl hy vertel oor die plaaslike winkeliers, die boere en somerbesoekers. Daarna het ons weer oor gemeenskaplike kennisse in Suid-Afrika begin praat. In die dorp het die slagter, die groentehandelaar en die kruidenier ons vrolikheid onbegrypend toegeglimlag: Johan het verhale geken oor al die toneelspelers en skrywers, skilders en uitgewers, en ons het saam loop en lag langs die wit mure en geslote poorte van die dorp, oor die stowwerige plein en verby die gedenkteken met arms vol inkopies.

Op die pad terug huis toe het ons weer stilgehou by die kapelletjie om in die skadu te rus, en ek het na binne gegaan omdat dit daar so koel en onverstoord is voor die roerlose aanblik van die ikone. Johan het buite gewag, uitgestrek onder die dennebome.

„Ek wil hier bly," sê hy wanneer ek langs hom kom lê. „Sommer net so hier bly en 'n bietjie gesels en half aan die slaap raak."

„En wanneer dit donker word?"

„Mens kan hier bly slaap op die dennenaalde."

„Hilde wag op die inkopies," sê ek.

„Ek het Hilde omgekrap omdat ek nie wou hê dat Elsa saamkom nie. Hilde het nou heeloggend by die huis daaroor loop en dink en sleg voel."

„Sy het al daarvan vergeet."

„Nie Hilde nie. Sy dra dinge lank met haar saam."

„Jy was vanoggend nie baie vriendelik gewees teenoor Elsa nie," sê Hilde ook wanneer ons terugkom huis toe.

„Sit sy nou op die strand en grens van ellende?" vra Johan.

„Waarom kon sy nie met jou saamgaan nie?"

„Waarom wél? Sy het gekom om vir jóú te kuier, sy soek nie regtig my geselskap nie." Hilde wil nog iets sê, maar hy val haar in die rede. „Is dit dan nie goed as ek en Ruud saam dorp toe gaan of saam gaan swem nie? Elsa is tog tevrede by jou. Waarom moet alles altyd uitgerafel en uitgepluis word?"

Hy stap weg en slaan die slaapkamerdeur agter hom toe. Hilde bly by die kombuistafel staan waar sy begin het om die inkopies uit te pak.

„Dis waar," sê sy dan. „Ek dink te veel oor dinge na, ek moet alles altyd eindeloos bepraat en my daaroor bekommer."

„Dis ook nie verbasend nie," probeer ek haar troos. „Julle lewe hier so afgesonder, mens word bewus van allerhande dinge wat jy anders nie eers sou opmerk nie."

„Ek is bang vir hierdie stilte," sê sy skielik waar sy bly staan het, die pakkies in haar hande. „Ek is bang vir hierdie eensaamheid. Daar kan te veel dinge gebeur." Dan word sy skaam oor haar ondeurdagte woorde en begin die dinge wegpak.

Ek kon geen rede vir haar vae angs sien nie: daar was net die wrywing tussen Elsa en Johan, wat geleidelik byna vanselfsprekend begin word het. Miskien is dit vererger deur die nuwe pogings tot toenadering waarmee Elsa om Hilde se ontwil so doelbewus en welwillend voor die dag gekom het, sonder om te merk dat Johan blykbaar nog meer daardeur geïrriteer word as deur haar afsydigheid of sarkasme. Dit was duidelik hoe sy probeer om haar spontane skerpheid te bedwing, en soms wanneer ek merk hoe sy een of ander opmerking terugdwing terwyl dit reeds op haar tong is, het ek onwillekeurig geglimlag.

„Kyk hoe trek Ruud hom terug met 'n boek," jou sy my uit toe sy my oog vang. „Hy sit en glimlag op ons neer van Olúmpos, vir hom is ons heeltemal kinderagtig."

„Miskien is onvolwasse 'n beter woord," werp ek teë. Sy het dit nooit reggekry om my kwaad te maak nie, en sy het dit ook geniet as ek gewillig was om haar skerpheid met skerpheid te beantwoord.

„Kunstenaars is nou eenmaal maar nes kinders," sê sy, en dit was Johan waarna sy verwys, want sy het nooit oor haar eie skrywerskap gepraat nie. „Die mense om hulle heen moet dit maar verduur ter wille van hul kunstenaarskap."

„As hulle kuns die moeite werd is, sal niemand omgee nie," merk ek op, „maar anders begin dit gou vervelig raak."

„Dit het niks met kunstenaarskap te doen nie," kom Hilde tussenbeide om ons woorde te probeer temper. „As jy van iemand hou, aanvaar jy hom soos hy is, omdat dit hy is, nie ten spýte daarvan nie."

„Blinde liefde," sê Elsa.

„Jy laat dit klink asof die liefde iets gebrekkigs is."

„Elsa sit nou en neerkyk van haar eie Olúmpos," sê ek, en wanneer sy my aankyk, besef ek dat ek dit op een of ander manier reggekry het om haar te raak.

„Elkeen het seker maar sy eie bergpiek waarop hy hom terugtrek," sê sy en staan op om 'n sigaret te gaan haal, maar Johan leun na vore om aan ons gesprek deel te neem.

„Vertel ons bietjie wat jý van die liefde dink, Elsa," sê hy. „Dit behoort interessant te wees — iemand soos jy wat alles weet van godsdiens, wysbegeerte, letterkunde, en dan nog met so 'n nugter, objektiewe kyk op sake. Sê vir ons, wat is vir jóú die grootste, geloof, hoop of liefde?"

Elsa antwoord nie terwyl sy sukkel om haar sigaretaansteker te laat brand of daaraan bly ruk om Johan se spottende vrae te ontwyk. Hilde maak 'n klein gebaar met haar hand om hom te waarsku, maar hy wag op 'n antwoord, sy oë op Elsa, blink van afwagting of skielike terglus. „En toe?" vra hy wanneer haar sigaret brand. „Watter een?"

„Geloof," antwoord sy. Johan sit nog na haar en kyk, maar vra niks meer nie. „Sal ons 'n entjie gaan stap?" vra sy, sonder om haar tot iemand in die besonder te rig, maar niemand antwoord nie.

„Gaan jy 'n nuwe sendbrief skryf?" vra ek. „Drié Korinthiërs?"

„Ek ken niemand in Korinthe vir wie ek sou kan skryf nie," antwoord sy wrang.

Hilde het ons gesprek bly volg. „Waaroor lyk jy dan so ongelukkig?" vra Johan haar.

„Ek weet nooit of julle ernstig is of net die gek skeer nie," antwoord sy.

Elsa kom agter Hilde se stoel staan en sit haar hande op haar skouers. „Ons is altyd ernstig, my hartjie," sê sy. „Vir óns is die lewe nie iets om ligsinnig oor te wees nie. Of het jy ons Calviniste dan nooit leer verstaan nie?"

„Jy spot nou weer," sê Hilde.

„Dit klink maar net so, dis erns, dis alles erns. Ons dra swaar aan die lewe, ons loop dubbelgeboë onder 'n las van skuld en boete en genade. As ons glo, kan ons nie soos kinders deur die velde hardloop nie, singend van sekerheid; ons geloof is iets waaraan ons vasgeklink is soos Prometheus aan sy rots, verblind deur die son terwyl die roofvoëls ons ingewande uitskeur. Ons liefde is geen bevryding nie, dis kettings wat ons vasbind, dis hand- en voetboeie wat ons vashou en laat struikel."

Sy is besig om toneel te speel waar sy agter Hilde se stoel met haarself staan en praat, maar daar is iets ernstigs, byna plegtigs, in die manier waarop sy dit doen wat ons in stilte na haar laat luister. Ek ken nie hierdie wyse van praat nie, en tog klink dit nie vir my vreemd nie. Ek het dieselfde klank in haar boeke gehoor, die eerste een, wat ek intussen al voltooi het, en die tweede, waarin ek nog net doelloos rondgeblaai het: nie hierdie woorde of die beelde self nie, maar iets vaers, miskien die ritme van die sinne of die rigting waarin haar gedagtes beweeg. Dit was die eerste keer dat ek dié bruingebrande jong vrou met daardie boeke in verbinding kon bring.

Sy bly half ingedagte daar staan, haar hande nog liggies op Hilde se skouers, en dan skud sy haar wakker en word weer van ons bewus waar ons swygend op die terras bly sit het. „Kom ons gaan stap," sê sy vir die tweede keer. „Wie kom saam?" Hilde staan op, bly om die gespannenheid van ons gesprek te breek en te gaan stap langs die pad bokant die see in die koelheid van die aand.

Dit was saans nooit baie besig by die kafee langs die hawe nie, waarskynlik omdat die meeste besoekers in die somerhuise getroud was met jong kinders, en gewoonlik was daar net 'n paar ou mans uit die omtrek. Die kaalvoetseuntjie het ons al geken, en die eienaar het vir ons geknik wanneer hy na buite kom en een of twee keer met Johan 'n praatjie kom aanknoop.

Ons had ons eie, afgesonderde tafeltjie in 'n hoek waar die palmblaarskutting die lig van die kaal gloeilampe keer, en die gesprekke van die ander mense het ons nie gehinder nie, ewe min as die platespeler wat teen die aand se kant aangesit word, want dit was altyd Griekse plate wat die man draai, en die moontlike banaliteit van die liedjies het verborge gebly agter die onbekendheid van die taal waarin hulle gesing word. Ek het slegs die donker, hartstogtelike stemme van die sangeresse gehoor, die onbegrepe woorde swaar belaai met hunkering en verlange, en die dringende, aanhoudende ritme van die begeleiding; die stilte van die nag agter ons, die gespoel van die see wat ons nie eers meer kan sien nie, die gekabbel van water teen die kaai, en die swaar, soet wyn van die eiland wat ons drink — só onthou ek daardie somer, en só onthou ek ook Griekeland, sodat die klank van een of ander Griekse deuntjie wat ek toevallig êrens hoor, oor die radio of in 'n platewinkel, nog al daardie weke op die eiland vir my oproep.

Van die onderwerpe wat voor die hand lê — Elsa, Griekeland, Suid-Afrika, en gemeenskaplike kennisse — het ons dan geleidelik al hoe verder weggedwaal om te praat oor die kuns, oor reis, en uiteindelik ook oor onsself, sinne wat hier en daar verstrooi is tussen ander dinge terwyl ons sit en luister na die musiek.

„Verbasend hoe mens kan verander wanneer jy drink," merk Johan op.

„Vind jy dit 'n goeie of 'n slegte ding?"

„Enigiets wat dit makliker maak om te praat, is goed. Maar op jóú het wyn blykbaar geen uitwerking nie."

„Ek kan baie helder dink wanneer ek te veel gedrink het."

„En wat gebeur dan?"

„Ek sien dinge in 'n ander lig, niks meer nie."

„Waarom word jy nie dronk nie?" vra hy. „Spring uit die band, bevry jou van jou repressies..."

„Hoekom?"

„Omdat ek graag sou wil sien hoe jy lyk sonder daardie beheersdheid en beredeneerdheid en berekenendheid." Ek antwoord nie. „Elsa het gelyk. Hoekom moet ons tog so onverbiddelik ernstig wees, so swaar dra aan alles, bang wees vir alles?"

„Elsa skryf 'n boek," sê ek.

„Hoe weet jy? Sy't jou tog nie in haar vertroue geneem nie?"

„Nee, ek het dit sommer geraai uit die manier waarop sy daar staan en mymer op die terras. Sy't nie eintlik met óns gepraat nie — sy was besig gewees om iets uit te dink, en ons was net toevallig teenwoordig."

„Die groot kunstenaar wat in ons midde rondloop met 'n merk op sy voorkop. Maar sy het gelyk. Hoekom kan ons nie so eenvoudig en blymoedig soos kinders wees nie, sonder angs en wroeging en berou? Waarvoor straf ons ons gedurig? Hoekom kan ons nie net dronk word en die glase stukkend smyt en op die tafel begin dans nie?"

„Wat keer jou?" vra ek.

„Ja, wát?" Hy spring op en ek gryp sy arm beet, onseker of hy ernstig is, want ons het albei reeds te veel gedrink, soos gereeld gebeur wanneer ons laat in die aand hier sit, uur na uur totdat die ligte onder die blaardak afgeskakel word en die musiek tot 'n einde kom. Dan het ons langsaam oor die wit strand huis toe gestap, langs die wit pad teen die hoogte op na die huis waar alles al donker is en Elsa en Hilde in die kamer slaap; stadig en swygend, onwillig om die aand te beëindig.

Hoeveel aande het ons so sit en gesels? Seker nie veel nie, maar ek kan hulle getal nie eers meer onthou nie, net die hunkering van die musiek in die donker, en die maanlig op die land, op die wit pad en die wit huis op die hoogte, op die verlate strand en die see.

Ek het Johan aan sy arm beetgegryp en hy het laggend toegelaat dat ek hom keer. Saam het ons langs die strand gedraal, kaalvoet in die louwarm water, saam gelag, en toe stil geword. Dit was die Griekeland wat my verbeelding uit verspreide verhale en prente opgebou het, die vae beeld wat ek agternagereis het en selfs af en toe broksgewys kon terugvind; want soms word die begeerte verwesenlik, soms word jy nie teleurgestel nie.

Ek kyk om na die skadu onder die rotse. „Wat verwag jy?" vra Johan.

„Wit suile in die maanlig, en 'n bokwagter wat êrens in 'n kloof op sy fluit sit en speel."

„Daar is nog oorblyfsels van klassieke geboue op die eiland, en êrens sal daar ook wel 'n bokwagter met 'n fluit wees. Sal ons gaan soek?" Hy beweeg egter nie weg van waar hy na die glinsterende see staan en kyk nie. „Ons kan die hele nag by maanlig stap."

Ek beweeg ál verder langs die strand; deur die helder water kan ek die skulpe sien. „Kom ons gaan swem," sê Johan.

„Sommer nóú?" vra ek onnosel, maar hy is al besig om sy hemp los te knoop.

„Daar's niemand wat ons kan sien nie. Kom jy?" In die skadu van die rotse trek hy hom uit. „Laat ek jou vanaand tot een of ander wilde, onbeheersde daad verlei — as jy nie op die tafel wil dans nie, trek dan ten minste jou klere uit en kom swem by maanlig."

Hy is al in die water terwyl ek my begin uittrek: ek laat my klere in die skadu en volg hom. Ons swem met lang, rustige slae of bly lui op die vlak drywe sonder om die stilte te wil versteur. Wanneer ons uit die water kom, gaan ons op die rotse sit en wag totdat ons liggame weer droog word en ons kan aantrek.

„Voel jy al tuis op die eiland?" vra Johan.

„Waarom vra jy?"

„Jy't al 'n hele tyd nie meer gepraat oor weggaan nie."

„Ek moet seker begin plan maak om verder te reis, maar ek het hier tot rus begin kom — ek het geheg geraak aan die plek, aan die son en die stilte en die niksdoen, ek het gewoond geraak aan júlle . . ."

„Dan is daar geen rede waarom jy nie sou bly nie. Jy het tog nêrens om heen te gaan nie."

„Ek is ten slotte 'n buitestaander; ek sou nie vir julle 'n indringer wil word nie."

„Jy is dit nie."

„Miskien sal ek dit word."

„Miskien. Maar voorlopig sal jy bly?"

„Ja."

„Dis 'n mooi aand," sê hy dan. „'n Mens sou hier op die strand kan bly slaap, op die sand. Jy sou heelnag kon lê en kyk na die maanlig op die see."

„Dis tyd om huis toe te gaan; ons moet gaan slaap."

„Is jy vaak?"

„Ja, nogal." Ek het al na die rotse gestap waar ons ons klere gelaat het en my begin aantrek terwyl hy na die see bly kyk. „Oor 'n paar uur word dit lig, dan gaan die maan tog onder," sê ek.

„Miskien nie, miskien blý dit nag en bly die maan onbeweeglik in die lug staan. Hoekom nie? As jy glo, kan dit gebeur. Geloof is die belangrikste, soos Elsa sê."

Ons roep na mekaar oor die afstand en sy woorde spoel weg, slegs verspreide lettergrepe nog behoue bo die gedruis van die golwe. „Ek het nie genoeg geloof nie," roep ek terug.

„Waarom nie?"

„Seker nie idealisties genoeg nie, of nie geduldig genoeg nie, ek weet nie. Kom jy saam?"

Hy reageer nie dadelik op my vraag nie: dit duur lank voordat hy omdraai en sy klere kom haal. Ek stap stadig oor die strand en oor die rotse en die duine na die pad, sodat hy my kan inhaal, maar hy probeer nie om dit te doen nie, en wanneer ek gaan staan om op hom te wag, sien ek in die helder maanlig hoe hy op die strand talm asof hy nie van plan is om te kom nie. Hy het hom weer aan my geselskap onttrek en sy eie gang ingeslaan, besef ek, en stap vinniger verder. Ek het al die huis bereik wanneer ek sy voetstappe agter my hoor op die voetpaadjie in die donker van die oleanderstruike, en ek draai om, verras deur sy haas.

„Wat makeer?" sê ek, maar hy luister nie eers nie.

„Waarvoor hardloop jy weg?" vra hy, uit-asem van die vinnig stap.

„Ek het gedink jy wil nie saamkom nie..."

„Waarvoor is jy bang? Ek kan dit nou vra, dis laat in die nag en ons het altwee te veel gedrink — ek het jou al gevra, eenkeer toe ek dronk was, maar jy het nie geantwoord nie. Hoekom is jy bang?"

In die donker van die tuin kan ek sy gesig nie duidelik sien nie, maar sy stem is vinnig en dringend. Ek aarsel terwyl ek die treetjies op stap na die terras: hy is dronk, is my eerste gedagte, en ek wonder wat ek moet sê of doen om te verhinder dat hy Hilde en Elsa wakker maak. „Jy moet antwoord," dring hy saggies aan terwyl hy my volg; „jy moet antwoord voordat dit te laat is."

Nee, dink ek, hy is nie dronk nie; sóveel het hy ook nie gedrink nie, en hy het die hele aand nugter gepraat, net 'n bietjie dromerig, 'n bietjie spottend, 'n bietjie afsydig soos hy soms met sy vinnig wisselende stemminge kan wees. Nou eers voel ek hoe moeg ek is, nie slaperig nie, maar moeg soos van eindelose voettogte en reise, uitgeput waar ek neerval op die diwan met Johan wat voor my bly staan en wag.

„Hoekom wil jy so graag weet?" vra ek.

„Ek wil jou help."

„Hoekom?"

„Dis ék wat die eerste vraag gevra het en ek wag nog op 'n antwoord. Hoekom weier jy om jou bloot te stel, om jou oor te gee?"

„Ek wil nie teleurgestel word nie," sê ek; „ek wil nie seergemaak word nie. Nie meer nie."

Hy kom langs my sit op die diwan. „Is dit die eerste keer dat jy eerlik met my praat?" vra hy.

„Miskien. Ek is moeg en dis laat en ek het te veel gedrink."

„Is dit nie eensaam om so in jouself te lewe nie?"

„Jy raak gewoond daaraan."

„Maak dit nie seer nie?"

„Jy raak gewoond daaraan."

„Beteken dit dat jy my vertrou, dat jy só met my praat? Of is dit net maar omdat jou weerstand laag is?"

„Ek weet darem nog wat ek doen," sê ek, „ten spyte van alles."

Hy steek 'n sigaret aan en gee dit vir my, en steek dan 'n ander aan vir homself. Ons praat saggies om nie vir Hilde en Elsa wakker te maak nie, ons koppe naby mekaar.

„Jy kan hier bly," sê hy, „die hele somer; jy kan die winter hier bly. Dit reën in die winter, maar dit sal stil wees, die besoekers sal weg wees. En die lente is mooi in Griekeland..."

Terwyl hy praat, word ek daarvan bewus dat daar iemand in die skadu van die slaapkamerdeur staan. Die wit muur van die huis weerkaats die maanlig verblindend, en dit duur 'n oomblik voordat ek Hilde se lang, geblomde somerrok herken. Wanneer sy merk dat ons haar gesien en stil geword het, kom sy na ons toe oor die terras, en dit is eers wanneer sy uittree in die maanlig dat ons besef dat dit Elsa is.

„Het ons jou wakker gemaak?" vra ek, want nòg sy nòg Johan sê iets.

„Nee, ek kon nie slaap nie, toe hoor ek julle hier buite. Hoe laat is dit?"

„Seker teen eenuur, twee-uur se kant. Wil jy 'n sigaret hê?"

„Graag." Ek het egter geen sigarette by my nie, en dit is Johan wat haar een moet gee en dit vir haar aansteek.

„Dis die eerste keer dat ek jou in 'n rok sien," merk ek op.

Sy kyk na die rok wat sy aanhet. „O ja, dít. Ek verkies makliker klere wanneer ek met vakansie is, maar Hilde se rok was toevallig byderhand, toe trek ek dit aan om buite toe te kom. Het julle gaan stap?" vra sy.

„Ons het geswem."

„In die maanlig... Romanties. Steur ek julle gesprek?"

„Ons is uitgepraat," sê Johan. „Ek het Ruud oorgehaal om te bly."

„Om te bly?" herhaal sy nadenkend.

„Om nie nou dadelik al weg te gaan nie," verduidelik ek.

„O ja. Dis seker 'n goeie plan. Mens is hier so afgesonder, jy waardeer natuurlik geselskap."

„Wil jy kom sit?" vra Johan.

Elsa kyk na die diwan waarop ons sit asof sy nog besig is om iets anders te oorweeg, maar dan skud sy haar kop. „Ek moet gaan slaap, net die sigaret klaar rook." Sy gaap al.

„Ja," sê Johan, „dis laat." Hy trap sy sigaret dood en stap na sy eie bed in die ander hoek van die terras. Elsa bly egter langs my staan en wag. Waarop? wonder ek. Johan en ek het weer van haar vergeet.

„Het jý al planne gemaak vir wat jy verder gaan doen?" vra ek. „Of wag jy ook sommer?"

„Ek wag sommer," sê sy. Waar sy kaalvoet teen die muur leun in Hilde se moulose rok, haar hare deurmekaar, lyk sy jonk en weerloos, selfs 'n bietjie weemoedig.

„Bly nog maar 'n rukkie gesels as jy nie kan slaap nie," sê ek vir haar, maar ek het self ook begin gaap.

„Nee," antwoord sy en skud haar kop. Dan druk sy haar sigaret dood en gaan terug kamer toe. „Wel te ruste," roep sy nog saggies terug. In sy hoek begin Johan hom uittrek, en dan klim hy in die bed en trek die laken oor hom; ek hoor die gekraak van die diwan. „Wel te ruste," sê hy, en ek antwoord, maar bly daar sit, agteroor geleun met my rug teen die muur.

Ek word wakker van die helder oggendlig: deur die blare van die prieel val die son op my gesig. Johan is al op soos gewoonlik, Julien speel buite, en in die tuin is Elsa besig om met iemand Grieks te praat, hard en duidelik soos mens doen wanneer jy jou verstaanbaar probeer maak in 'n vreemde taal. Dit is die ou man van die huis agter die heuwel met wie sy praat, hoor ek wanneer hy haar moeisaam opgeboude sin onderbreek, en ek lê en luister hoe sy woorde voortstroom. Wanneer hy die einde van sy relaas bereik, hoef Elsa maar net 'n bemoedigende opmerking te maak om hom weer aan die gang te kry.

„Waaroor gesels hy?" vra ek haar wanneer sy haar van hom bevry het en na die huis terugkom. Ons hoor hoe hy met sy kierie die heuwel af sukkel na die grootpad.

„Ek glo hy't my vertel oor een of ander oorlog waaraan hy deelgeneem het. Al wat ek kon uitmaak, was dat dit oor gewere gaan."

„Waar het jy dan die Grieks vir ‚gewere' geleer?"

„In Macedonië, op pad hierheen."

„Jy ken darem baie."

„Net genoeg om die oubaas te laat dink dat ek verstaan. Maar hy's nou gelukkig."

Terwyl ek opstaan en aantrek, was sy besig met kaarte en gidsboeke: sy het een of ander tog beplan, en nie eers gewag om saam met ons ontbyt te eet nie. In die begin het sy altyd gevra wie van ons wil saamkom wanneer sy êrens heen gaan, maar niemand had ooit lus nie, en later het sy ook nie meer gevra nie. Sy het haar afgesonder met haar kaarte en gidsboeke, en dan stewige loopskoene aangetrek en doelbewus koers gekies. Soms het sy die hele oggend weggebly, en soms was dit reeds aand voordat sy met dieselfde vasberade tred terugkeer, stowwerig, moeg en verbrand deur die son, om Hilde te laat lag met verhale oor die dorpies wat sy gesien en die mense met wie sy langs pad bly praat het.

Hilde het dit egter nie goed gevind nie, en wanneer ek en Johan dan saam êrens heen gaan, kon ek aan haar afgetrokkenheid merk dat sy nie daarvan hou dat Elsa van ons ondernemings uitgeslote bly nie. Soms het sy iets daaroor gesê, maar dit het net tot 'n argument met Johan gelei, en later het sy stilgebly. Elsa self het blykbaar nie eers gemerk dat sy uitgesluit word nie, en selfs spesiale moeite gedoen — so het dit soms gelyk — om nie haar geselskap op ons af te dwing nie en om te voorkom dat dit deur Hilde op ons afgedwing word. Doelbewus het sy probeer om vriendelik en taktvol te wees, so doelbewus dat die inspanning wat dit haar kos soms duidelik was; maar ek het onseker gebly hoe ek op haar pogings tot toenadering moet reageer, en altyd het ek op een of ander manier nog aan haar motiewe getwyfel.

Ná die aandete, toe Hilde die tafel afgedek het, haal Elsa die kaarte te voorskyn wat sy soms vir solitêrspel gebruik. „Vanaand gaan ek die kaarte vir jou lê," sê sy vir my waar ek aan tafel bly sit het.

„Kan jy dan fortuin vertel?" vra ek.

„My ouma was heldersiende," verklaar sy, sonder dat mens kan sê of sy skerts of ernstig is. Ek dek die kaarte af wat sy na my uithou, en sy lê hulle uit op die tafel.

„'n Donker man," verduidelik sy terwyl sy dit doen. „'n Blonde man. 'n Reis oor die water."

„Hoe anders sou ek van die eiland afkom?" vra ek. „En dáárdie kaart?"

„Dis die dood," sê sy.

„Ek hou nie hiervan nie," sê Hilde.

„Jy raai sommer," sê Johan vir Elsa. „Die kaarte het geen betekenis nie, en die manier waarop jy hulle uitgee, is sommer toevallig."

„My ouma was heldersiende," verweer sy. „Wat van hande? Glo jy dan in handlyne?"

„Probeer maar Ruud s'n lees," sê hy, en staan agter my en kyk hoe sy die lyne van my hand ondersoek. „'n Lang lewe," sê sy nadenkend. „Báie lank. Jy kan miskien selfs neëntig word."

Ek hoor hoe Johan agter my lag en wegstap om nog wyn te skink. „Is dit regtig so," vra ek vir Elsa, „of skeer jy weer die gek? Kán jy hande lees?"

„'n Bietjie."

„Glo jy daaraan?"

„'n Bietjie. Jy hoef jou nooit oor geld te bekommer nie," voeg sy dan by.

„Ek sal ook daarin glo as jy my sulke dinge vertel," merk Johan op. „Nou Hilde se fortuin. Hilde, die kaarte of jou hand?" Maar Hilde skud haar kop. „Julle het geen vertroue in my nie," roep Elsa met gemaakte verontwaardiging. „Ek kan niks doen as julle geen vertroue in my het nie. En ek sê tog vir julle dat my ouma heldersiende was!"

Die tafel is afgedek; Julien slaap. Die paraffienlamp is soos gewoonlik aan die prieel opgehang en verlig die terras deur die takke van die wingerd.

„Sal ek koffie maak?" vra Hilde. Dit is die tyd van die aand dat ek meestal met Johan kafee toe gaan wanneer hy by die huis is, maar hy het pas weer sy glas gevul. Vanaand bly ons dus by die huis.

„Ek sal wyn drink, dankie, Hilde," sê ek, en Johan kom vir my skink. Oorkant die tafel sit Elsa en kyk na sy hande wat die kan vashou, na die wyn wat in die glas uitloop en na my gesig, asof sy hierdie dinge takseer en teen mekaar opweeg.

„Elsa?" vra Hilde.

Sy besef nie dadelik waarop die vraag dui nie. „O, ek sal ook wyn drink, dankie." Johan skink vir haar, en daarna vir Hilde. „Net 'n halwe glas," sê sy soos gewoonlik, maar hy vul dit sonder om hom daaraan te steur.

„En toe?" vra hy. „Gaan ons nie verder met die waarsêery nie?"

„Julle wil nie saamwerk nie," sê Elsa.

„Daar is tog ander moontlikhede. Gaan haal jou kristal — of wat van teeblare?" Elsa begin egter die kaarte bymekaarmaak.

„Wat beteken dit presies as iemand heldersiende is?" vra Hilde.

„Dit beteken dat jy die vermoë het om sonder oë dinge te sien wat vir ander mense onsigbaar is."

„Jy sou dit ook intuïsie kan noem," sê Johan. „Of verbeelding, of wensdenkery."

„Of goeie waarnemingsvermoë," sê Elsa waar sy die kaarte sit en regskud.

„Gaan verder."

„Met die verduideliking?"

„Nee, met die vertoning van jou waarnemingsvermoë."

„Maar dit is waar," sê Hilde, „Elsa kán soms dinge sien. Onthou jy nie, in Parys . . ."

„Waarnemingsvermoë," val Elsa haar in die rede. „Weet jy nog, toe Schopenhauer verdwyn, het ek my sogenaamde heldersiendheid probeer gebruik om hom te vind, maar dit het niks gehelp nie, ons het hom nooit teruggekry nie."

„Kom, Kassandra, vertel verder," hou Johan aan. „Ons wag op jou."

Elsa drink haar wyn stadig, die glas in albei hande. „Ek sien Hektor se liggaam wat agter die strydkar aan gesleep word, en Paris verbrysel in die stof. Maar julle sal my tog nie glo as ek julle sê wat ek sien nie."

„Kyk na Johan se hand," sê ek, maar sy haal net haar skouers op.

„As jy waarnemingsvermoë het, het jy nie nog handlyne nodig nie," antwoord sy. Sy het nie meer lus vir die speletjie wat sy begin het nie, miskien omdat Hilde nie daaraan wil deelneem nie of miskien net omdat dit Johan se terglus uitgelok het. Sy staan in elk geval op en loop weg na die rand van die terras, buite bereik van die lamplig. „Ek kan julle fortuin lees met die hele breedte van die terras tussen ons in!" roep sy terug.

Johan het hom op een van die diwans uitgestrek, 'n kussing onder sy kop, en ek gaan by hom sit in die skadu. „Luister," sê ek, „jy kan die musiek van die kafee hoor van oorkant die water."

„Ek hoor niks nie, net die see."

„Dit het nou weer stil geword. Dis net vlae van tyd tot tyd."

„Johan, jy het nooit vir Schopenhauer geken nie, het jy?" vra Hilde, en dan, as hy nie reageer nie: „Ons kat, in Parys."

„O, is dit waaraan jy sit en dink? Nee, dit was voordat ek jou leer ken het."

„Ek wonder of hy nie miskien later na ons kamer teruggekom het nie, nadat Elsa en ek al weg was. Ons het nie baie lank daar gebly nadat hy verdwyn het nie — jy en ek het toe saam gaan woon, en Elsa is weg uit Parys, Kanada toe." Dit interesseer Johan klaarblyklik nie. „Elsa," roep sy oor die terras. „Dink jy dat Schopenhauer miskien teruggekom het nadat ons weg is?"

„Miskien, wie weet? Bekommer jy jou nog altyd oor hom ná al die jare?"

„Ek was lief gewees vir hom. Hy het persoonlikheid gehad."

„As hy teruggekom het, sal die concièrge hom wel by haar in huis geneem het, sy was lief gewees vir diere. Wat was haar naam?"

„Madame Gaudry."

„Madame Gaudry..."

„Wil jy gaan stap?" vra Johan my terwyl hulle saam praat.

„Miskien láter."

„Wou jy kafee toe gegaan het?"

„Ek het daaraan gedink, maar toe begin Elsa met haar fortuinvertellery..."

Hy lag. „En jý was toe die enigste een wie se fortuin vertel geraak het. Is jy darem tevrede met die uitslag?"

„Ek het niks gehoor wat ek besonder graag wil weet nie."

„Jy hoef jou nooit oor geld te bekommer nie," sê Hilde uit die donker naby ons. Ek het nie besef dat sy na ons luister of dat sy selfs die sagte, trae gesprek kan hoor nie.

„As ek gedoem is om lank te lewe, is dit die minste vergoeding wat ek kan verwag."

„Wil jy dan nie lank lewe nie?"

„Wat moet ek al die jare doen?"

„Jy kan hier op die eiland bly," sê Johan, „dan sal die tyd rustig genoeg verbygaan sonder dat jy dit self merk. En dan sal jy jou inderdaad nie oor geld hoef te bekommer nie. Die lewe hier is goedkoop, en as ons geld nodig kry, maak ek gou een of ander minderwaardige skildery vir 'n somerbesoeker uit Athene wat niks van die kuns af weet nie."

Ons is stil; ons woorde raak weg in die swaar donker van die nag, in die vlegwerk van lig en skadu wat die lamp oor die terras laat val.

„Maar Ruud kan nie bly nie," sê Hilde. „Elsa het 'n seereis voorspel."

„Eendag in die toekoms," sê Johan. „Hy gaan lank lewe, daar is baie tyd. Nog wyn?"

Ek hou my glas uit; Hilde het nog skaars van hare gedrink. Aan die rand van die terras staan Elsa woordeloos by haarself en saamsing met die musiek wat nou weer hoorbaar is van oor die water. „Nog wyn, Elsa?" roep Johan, en na 'n oomblik kom sy na ons toe sonder om op die vraag te antwoord terwyl sy saggies sing.

Johan bly op haar wag, die wynkan in sy hand. „Is jy al besig om dronk te word?" vra hy.

„Van 'n paar glase? Jý's dronker as wat ék is, nefie."

„Kom dan dat ek weer vir jou skink." Hy soek na sy eie glas. „Laat ons drink, laat ons vergeet van alles, van die rots waaraan ons vasgeklink is. . ."

„Ek sien my woorde het 'n groot indruk op jou gemaak," sê Elsa. „Ek het nie verwag dat jy hulle nog sal onthou nie."

„Kom, ek daag jou uit — kan jy my nadoen as ek 'n glas in één keer uitdrink?"

„Johan," sê Hilde waarskuwend uit die donker, maar hy is opgewonde en hoor haar nie.

„Sál jy?" vra hy.

„Dis jammer van die wyn," sê Elsa, maar dit is asof hy haar woorde as uitdaging aanvaar. Kop agteroor gegooi drink hy sy glas leeg terwyl sy glimlaggend na hom bly kyk, en dan lig sy haar eie glas na hom op in 'n soort heildronk en drink dit ook met 'n vinnige beweging uit.

Hulle staar mekaar aan. „Tevrede?" vra sy. „En ek begin nie eers wankel op my voete soos jy nie. Ek kan langer met hierdie speletjie aangaan as jý."

„Elsa, moenie," sê Hilde. Sy is bekommerd, en ek staan op om die kan by Johan weg te neem, want hy het reeds meer gedrink as Elsa, maar hy laat dit nie los nie.

„Ek is nog nie só dronk nie," sê hy. „Ons kan nog verder gaan."

„Toe maar, Hilde, ons sal nie," sê Elsa. „Skink weer 'n slag vir my, Ruud."

„Ruud is bang," sê Johan. „Hy vertrou my nie eers met die kan wyn nie — kyk hoe staan hy dit en vashou. Ek sê aanhou vir hom hy moet ophou bang wees, maar hy wil nie luister nie."

„En jy," vra sy, „is jy dan nie meer bang nie?"

„Nee," sê hy na 'n tydjie, „nie meer nie." Hy hou nog die kan vas wat ek in my hande het en ek wag dat hy dit moet loslaat. „Kom," voeg hy skielik by, „nou sal jy verder gaan met die fortuine, nè Elsa? Jy's nog nie eers klaar met Ruud s'n nie."

„Sy het my alles vertel wat ek wil weet," sê ek. „Dis jý wat aan die beurt is as sy verder gaan."

„Miskien het ek alles vertel wat jý wil weet, maar dis nog nie alles wat ek te sê het nie," sê Elsa.

„Kom dan, Kassandra," roep Johan, „vertel! Luister na die geroep van die heilige ganse, slag die offerdiere en ondersoek hul ingewande, kyk na die rook wat van die brandoffers opstyg, en sê vir ons wat jy sien."

„Dis nie daardie soort tekens waarna ek kyk nie. Dis baie gewone dinge wat ek soek; ek het al vir jou gesê, waarnemingsvermoë is al wat jy nodig het. Die klank van stemme, of die stilte in 'n gesprek — die stilte miskien nog meer as wat daar gesê word. Die manier waarop mense kyk of wegkyk . . ." Sy stap reeds weer van ons weg terwyl sy praat, en Johan volg haar.

„Vertel dan, dit maak nie saak hóé nie. Deel jou wysheid aan ons mee."

Hierdie speelsheid is iets nuuts tussen hulle. „Wat probeer Johan doen?" vra Hilde my.

„Hulle skeer sommer die gek, laat hulle maar."

„Hy drink weer te veel, elke aand drink hy te veel." Sy bly bekommerd na hulle kyk: Elsa het kruisbeen op die ander diwan gaan sit en drink stadig en nadenkend haar wyn terwyl Johan voor haar staan en betoog met 'n seldsame weidsheid van woord en gebaar.

„Kyk," sê ek vir Hilde langs my, „Johan het haar selfs laat lag; dit het nog nooit gebeur nie. Hulle kan heeltemal goed met mekaar klaarkom." Ek dink egter nouliks aan wat ek sê en probeer maar net om haar vae angs en kwelling gerus te stel. Sy sê iets en ek kan nie hoor waaroor Elsa en Johan praat of waarmee dit is dat hy haar laat lag het nie.

„Hoe kan ek jou omkoop?" vra hy. „Sal ek jou portret skilder? Jou boeke bewonder? Reukoffers of brandoffers bring?"

„Plengoffers," sê sy dromerig.

„'n Plengoffer!" roep hy uit, lig sy glas, en giet die wyn dan stadig uit op die plaveisel voor die diwan waarop sy sit. „Johan, die sprei!" roep Hilde. „Wat doen jy?", maar hy steur hom nie aan haar nie en Elsa staar ook onverbaas na die straal wyn wat voor haar uitgegiet word en teen haar gesig en die bed aan spat. Dan raak sy haar voorhoof en wange aan wat nat is van die wyn, kyk na haar vingertoppe, en begin weer lag. Saam lag hulle so uitbundig en onredelik soos twee kinders, hul vermaak buite alle verhouding tot die oorsaak daarvan.

„Sal jy praat?" vra Johan.

Uit-asem van die lag skud Elsa eers haar kop, en trek dan skielik die bedsprei oor haar, sodat dit haar heeltemal bedek. „Goed," sê sy, „kom dan maar, kom."

„Ruud!" roep Johan.

„Die orakel gaan praat," sê Elsa. „Nie Kassandra nie, nie Kassandra. Ek is die orakel, ek is ewige, tydlose wysheid. Vra maar."

„Kom, Ruud," sê Johan, en omdat ek nie dadelik reageer nie, maar langs Hilde bly sit en kyk na wat hulle doen, kom hy vinnig na my toe, gryp my hand en trek my na die diwan waar Elsa wag. „Jy moet kniel," sê hy en dwing my neer op die plaveisel wat nog nat is van die wyn. „Jy moet drink," sê hy, soek na 'n glas, en hou dan sy eie teen my lippe. Ek drink gehoorsaam, verras deur die erns en die oorgawe wat van hulle besit geneem het. „Vra haar," fluister hy dan vir my.

Elsa sit roerloos onder die sprei waarvan die voue oor haar gesig val en dit in skadu hul. Die musiek oorkant die water het stil geword en ons hoor net die geluid van die see.

„Wat moet ek vra as ek niks wil weet nie?" sê ek.

„Vrá," beveel Elsa van onder die sprei. „As jy eenmaal begin het, kom daar geen einde meer aan die vrae nie."

„Die orakel ken haar werk," sê Johan goedkeurend waar hy agter my bly staan met sy hande op my skouers om te keer dat ek opstaan en wegloop. Goed, dink ek, ek sal met hulle saamspeel, al weet ek nie meer of dit spel of erns is waarmee ons besig is nie.

„Hoe lank sal ek nog hier bly?" vra ek.

„Die orakel is nie 'n reisburo nie," sê Elsa skerp, en Johan lag.

„Sál ek bly?"

„Dit hang van jou eie besluit af."

„Móét ek bly?"

„As jy so besluit, dan moet jy, ja."

„Uitstekend," fluister Johan spottend. „Ware Delfiese niksseggendheid." Elsa is weer besig met een of ander ingewikkelde, duistere privaatspeletjie, besef ek, en soos gewoonlik voel ek weerstand in my opkom.

„Kan jy my dan geen raad gee nie?" vra ek.

„Jy moet self die verantwoordelikheid vir jou besluite aanvaar, en nie probeer om ander mense dit vir jou te laat doen nie."

„Wat is dan die nut van 'n orakel?" werp ek teë.

„Om jou te help om jouself te ken," sê sy.

„Maar hóé, as ek net ontwykende antwoorde op my vrae kry?"

„Dis nie die antwoorde wat belangrik is nie, maar die vrae. Die antwoorde moet ánder vrae uitlok en dan nog meer, totdat jy self geformuleer het wat onuitgesproke en onuitspreekbaar was." Sy het weer losgeglip uit die strop, en ek kan voel hoe Johan agter my die woordewisseling begin geniet.

„En met watter reg neem jy dit op jou om ander mense tot selfkennis te help?" probeer ek my nog verweer, maar haar antwoord lê al klaar.

„Die reg van my sienerskap, wat my dinge laat sien terwyl jy ontken dat hulle bestaan en woorde laat hoor terwyl jy volhou dat alles stil is."

Ek kan haar nie vasvra nie; bedek deur die wye voue van die sprei voel sy vry om met my te speel en tussen my vrae deur te glip, en ek staan magteloos teenoor hierdie gemaskerde teenstaander. Watter speletjie is dit waarmee sy besig is, wonder ek, en wat is haar doel daarmee?

„Jy kry dit nie reg nie," hou ek vol. „Jy help my nie."

„Dis jou eie skuld, nie myne nie. Jy wil selfgenoegsaam wees en maak asof jy geen hulp nodig het nie. Mens word gehelp deur die erkenning dat hy hulp nodig het."

Sy het die woordewisseling gewen en ek kan dit nie verder uitrek nie. Ek vra niks meer nie en sy swyg ook, maar dan kom Johan van waar hy agter my bly staan het met sy hande op my skouers en kniel langs my voor die diwan. „Ek het jou hulp nodig," sê hy. Hy praat saggies, met ingehoue asem, en hierdie plotselinge ingetoënheid ná sy vroeëre opwinding lyk verdag. Elsa bly lank roerloos onder die sprei voordat sy praat.

„Ek weet," sê sy. „Jy óók."

Die speletjie is klaar, dink ek by myself in die stilte wat volg, en húlle het ook nie lus om daarmee verder te gaan nie, maar hulle staan nie op nie, nòg verander hulle van posisie. Johan staar na Elsa op die diwan asof hy probeer om haar gesig in die skadu te sien. „En nou?" vra hy met dieselfde gedempte stem.

Ek kyk van hom na die vormlose gestalte voor ons en dan weer terug. Dit kan nie nog deel van die spel wees nie, dié skielike gespannenheid, en dan besef ek dat die stilswye te lank geduur het. Hierdie stilte kan nie meer met 'n skertsende antwoord of spitsvondigheid tot niet gemaak word nie: iets het onherroeplik geword.

Ek kniel nog op die klip langs Johan, alhoewel ek begin moeg word, en saam met hulle wag ek op wat daar gaan gebeur.

Uiteindelik beweeg Elsa effens, en die diwan kraak. „Gaan maar verder," sê sy. „Vra maar, die orakel wag."

Johan kyk nog peinsend voor hom uit. „Is dit moontlik om gelukkig te wees?" vra hy dan. „Bestaan die moontlikheid van geluk?"

„Dit hang van jóú af."

„In my is daar net die begeerte, geen moontlikheid van verwesenliking nie."

„Dis genoeg, jy het niks meer nodig nie."

„Wat doen mens dan met die verlange?"

Elsa speel met die voue van die sprei wat om haar hang. „Die vrug wag om gepluk te word," sê sy; „die graan wag op die sekel. Dit is jý wat moet handel."

„En sal ek die vrug pluk?"

„Jy moet jou hand daarna uitsteek."

„Kan dit gepluk word?"

„Dit moet jy self uitvind."

„Dis 'n waagstuk."

„Eindeloos, ja, eindeloos."

Hulle praat baie sag, sodat ek na vore moet leun om hulle formele, byna toonlose woorde te kan hoor. Daar is niks tergends meer in Johan se stem nie, en Elsa probeer sy vrae ook nie met spitsvondighede ontwyk soos sy met myne gedoen het nie. Ek kan die gang van hulle gesprek nie volg nie, maar vir hulle is dit blykbaar duidelik waaroor dit gaan, en hulle praat saam óm hulle onderwerp heen met 'n vertroulikheid wat ek nooit tussen hulle gesien of verwag het nie.

Ek hoor agter my die geluid van 'n stoel wat teruggestoot word: Hilde, van wie ons heeltemal vergeet het waar sy eenkant in die skadu sit, te ver om te kan hoor wat daar gesê word. Ek hoor haar sandale oor die terras na ons toe kom, maar as Johan en Elsa dit ook merk, gee hulle geen teken van die feit nie.

Johan leun na Elsa toe. „Is dit die risiko werd?" vra hy, en bly na haar opkyk, wagtend op haar antwoord.

„Jy moet self weet hoeveel dit vir jou beteken. Jy moet self die waarde bepaal."

„Johan," sê Hilde agter ons. Hy kyk egter nie om waar hy voor Elsa kniel nie.

„Dis moontlik," sê hy baie saggies by homself.

„Johan!" herhaal Hilde. „Hou julle nou op hiermee? Dit begin vervelig word."

Langsaam draai Johan om en kyk na haar sonder om haar te sien. Van onder die sprei strek Elsa haar hand na Hilde uit. „Kom," sê sy, „jý het nog nie 'n beurt gehad nie. Kom vra die orakel wat jy wil weet."

„Daar is niks wat ek wil weet nie; dit is goed soos dit is, ek wil niks meer uitvind nie."

„Jy moet nie bang wees nie, hartjie. Jy moenie wil weghardloop nie." Hilde luister egter nie.

„Ek gaan slaap," sê sy. „Is daar nog iets wat julle wil hê? Wil julle koffie hê?"

Sy is ontstel oor iets, miskien die manier waarop sy skielik uitgesluit is van wat ons doen, of die onverwagte, byna verdagte toenadering tussen Elsa en Johan; met vinnige, onsekere bewegings begin sy die terras aan die kant maak. Dan gooi Elsa die sprei van haar af en spring op van die diwan, struikel oor die voue van die materiaal, skop haar voete los, en gaan na Hilde toe. „Ek sal jou help," bied sy aan en begin die glase bymekaarmaak. „Ek sal vir jou afwas," sê sy. „Gaan slaap maar as jy vaak is. Ons het vanaand ook te veel gedrink, ons was sommer laf gewees . . ." Sy praat versoenend en kyk na Hilde, wat nie antwoord nie.

Johan kniel nog op die plaveisel sonder om hom aan die vroue te steur, en uiteindelik staan ek op en gaan sit op die diwan. Hilde en Elsa is besig om op te ruim, en die normale gang van die lewe is oënskynlik herstel.

„Wat was dit waaroor jy en Elsa gepraat het?" vra ek toe die twee vroue kombuis toe is.

Johan kyk op. „Dít? O, ons het te verdiep geraak in ons speletjie, niks meer nie."

Hy kom langs my sit op die diwan. „Dit was nie 'n speletjie nie," sê ek.

„Het jy dit ook besef?"

Elsa kom terug van die kombuis en ons kan nie verder praat nie. „Voel jy dalk lus om te kom swem, Ruud?" vra sy.

Ek dink nog aan Johan se woorde en antwoord nie dadelik op die onverwagte uitnodiging nie. Vanaand het alles onverwag en ongewoon geword.

„Gaan julle swem?" vra Johan. „Dan kom ek saam."

„Ek het Rúúd gevra," sê Elsa.

„En mag ék dan nie saamkom nie?"

„Ek probeer taktvol wees," sê sy heftig, maar sy praat saggies, sodat Hilde haar nie sal hoor nie. „Ek wil jou en Hilde die kans gee om 'n slag alleen te wees."

Johan lag by homself. „Waarom dan vanaand? Het jy 'n skuldige gewete wat gesus moet word?"

„Dis nie te laat nie," sê Elsa, maar dan kom Hilde ook terug van die kombuis.

„Ek gaan slaap," sê sy weer.

„Ek en Ruud het besluit om te gaan swem."

„Ek gaan ook," sê Johan.

Geeneen van ons beweeg nie. Onseker kyk Hilde van die een na die ander, en dan sê sy goeienag en trek haar in die kamer terug. Die aand is verby, die speletjie oor, die gesprek beëindig, die tafel afgedek. Net die lamp brand nog waar dit tussen die takke van die prieel hang.

„Dit ís te laat," sê Johan in antwoord op Elsa se laaste woorde, en alhoewel Elsa stadig haar kop skud, weerspreek sy hom nie. „Te laat," herhaal hy.

„Jy heg te veel waarde aan wat ek gesê het toe ons besig was om toneel te speel."

„Ek glo in jou heldersiendheid, van watter aard dit ook is. Ek het die volste vertroue daarin."

„Dankie. Dis die eerste keer dat jy my 'n kompliment maak, weet jy dit?"

„Gaan ons swem?" vra Johan dan.

„En Hilde?"

„Hilde het gaan slaap. Waarom bekommer jy jou so oor haar?"

„Dis nie reg dat sy altyd alleen moet agterbly nie."

„Sy verkies dit self," sê Johan.

„Glo jy dit?"

Sy stap weer van ons weg langs die terras. „Jý kan bly," sê Johan; „jý kan by Hilde bly," en sy gaan staan vir 'n oomblik om na hom om te kyk. „Goeienag," sê sy, en sy volg Hilde na die kamer.

Die aand is verby; die opgewondenheid het gespannenheid geword, en dit het 'n sekere leegheid en matheid agtergelaat waarin niks meer moontlik is nie as om so te bly sit en rook en kyk na die takke van die wingerd in die lig van die hangende lamp. Dan draai Johan dit uit en haal dit af van die haak waaraan dit hang, sodat ons in die donker gelaat word. In die swaar skadu onder die prieel kan ek net aan Johan se gloeiende sigaret sien dat hy geluidloos na my terugkom op kaal voete. Dit is te laat om nog na die kafee te gaan of om te gaan swem, dink ek, te laat, en Johan stel dit nie eers meer voor nie, maar kom weer langs my sit sonder om te praat.

„Is Hilde kwaad?" vra ek hom.

„Ek weet nie," sê hy sonder belangstelling.

„Sy het nie van die waarsêery gehou nie." Hy antwoord egter nie. „Glo jy regtig dat Elsa heldersiende is?" vra ek.

„Ek weet nie, dalk is sy. Dis eerder 'n kwessie van waarnemingsvermoë, soos sy self ook sê, en wat dit betref, glo ek in haar gawes."

„Het sy vanaand dan bewys daarvan gelewer?"

„Dis waarneming, intuïsie, mensekennis — 'n mengsel van dit alles, en miskien nog meer. Cynthia het ook so 'n gawe, maar by haar is daar beslis nog iets by, 'n soort sesde sintuig. Dalk omdat sy Skots is, een of ander Keltiese eienskap. Sy het 'n byna angswekkende vermoë om mense te help, om te weet wat hulle makeer en wat hulle nodig het, wat om vír hulle en mét hulle te doen."

„Sy trek blykbaar almal aan wat probleme het. Dis in elk geval die indruk wat die Kemps my van haar gegee het."

„Ja, en dan tree sy soos 'n soort geestelike uitsendburo op, tussen haar skilderwerk en die partytjies deur. God, maar ek is lief vir Cynthia; ek sou haar graag weer 'n slag wil sien. Dis daarom dat ek so bly was toe jy skryf dat jy hierheen kom, dit was soos 'n nuwe band met Cynthia gewees."

„En is dit waarom sy wou hê dat ek moet kom, as deel van haar geestelike versorgingsdiens?"

„Waarskynlik."

„Om wie se ontwil — julle s'n of myne?"

Hy antwoord nie. „Is jy gebelg?" vra hy.

„Waaroor?"

„Omdat jy deur Cynthia uitgestuur is."

„Nee, dit spyt my nie dat ek gekom het nie. En in elk geval, Cynthia ken my nie eers nie, sy kon nouliks bybedoelings gehad het."

„Sy hóéf jou ook nie te ken nie, ek sê mos vir jou dat sy hierdie Keltiese heldersiendheid het, iets veel meer persoonliks as Elsa se waarnemingsvermoë. Ons skryf amper nooit vir mekaar nie, en tog weet sy alles van my, sy weet wat verkeerd is en waaraan ek behoefte het."

„En wat het sy dan gedink dat ék sal kan doen?"

„Ek weet nie of sy énigiets gedink het nie. Intuïsie is nie 'n beredeneerde ding nie."

Ons praat in baie sagte stemme met mekaar. „Wat is daar wat ek kán doen?" vra ek. In die kamer is die lig al afgeskakel en die twee vroue het gaan slaap, maar my oë het gewoond geraak aan die donker en ek kan Johan langs my sien.

„Dat jy gekom het, dat jy hier is, dis al klaar baie. Die besef dat mens jou nie onherroeplik vasgeloop het nie, dat daar nog uitkoms is, of in elk geval die moontlikheid van uitkoms, die moontlikheid van hoop juis wanneer jy alle hoop laat vaar het..."

„Waarin het jy jou vasgeloop?" vra ek.

„In myself, in my lewe, in die lewe as sodanig. Voel jy nie self ook so nie? Voel jy nie soms die angs nie?"

„Ja," sê ek ná 'n rukkie.

„Waarvoor?"

Ek soek afgetrokke na die regte woorde. „Die eensaamheid. Die stilte."

„Ja."

„En nou?" vra ek.

„Nou het jy gekom."

„Is die eensaamheid daardeur opgehef?"

„Dit het ten minste moontlik geword."

„En die stilte?" Ek praat maar net, doellose, sinlose vrae om ons gesprek te verleng.

„Ek het geroep en geroep," sê hy. „Ek het geskreeu."

„Ek wou antwoord," sê ek. „Ek het probeer."

„Ja," sê hy weer, en raak dan baie vinnig my gesig aan, liggies teen my voorhoof en wang van met die sykant van sy hand. Ons lag albei, senuweeagtig en verras oor die vertroulikheid van die gesprek en hierdie skielike gebaar.

„Ek wil antwoord," sê ek. „Ek sou woorde wil vind, êrens, soos skulpe op die strand ..." Ek weet nie wat ek sê nie; ek praat onsamehangend oor die dinge wat by my opkom.

„Daar is nog baie tyd; ons sal nog skulpe soek." Ons lag weer oor die woorde. „Ons sal die eiland ontdek, al die plekke wat ek nog nie ken nie, en ek sal jou alles wys wat ek self al ontdek het. Ek sal jou na die versonke stad toe neem."

Laggend en opgewonde praat ons saam sonder om na te dink of te luister, want dit is nie die woorde self wat belangrik is nie, maar die feit dat ons hier saam sit en gesels op die donker terras, saggies met ons koppe bymekaar om nie deur die twee vroue gehoor te word nie. Ek voel Johan se skouer langs my en vir 'n oomblik skuur sy arm teen myne in 'n vertroulikheid wat so nuut en onverwag is soos ons gesprek self. Dit is op straat dat mense jou aanraak, vinnig en toevallig in die verbygaan, en hul nabyheid is iets vlugtigs by die uitgaan van bioskoop of teater of op die oorvol trems van die spitsuur. Vir 'n oomblik of langer word jy tot onverwagte en ongevraagde intimiteit met vreemdelinge gedwing, vasgevang tussen heupe en skouers en bewus van elmboë en hande wat jou omring. Te midde van wiegende liggame sien jy die lyn van 'n polsgewrig, die ronding van 'n oor en die tekstuur van hare of huid; die oë van 'n onbekende kyk in joune vas en die geruk van remme werp julle kortstondig teen mekaar. Dit kan egter nie voortduur nie, en die afroep van die haltes beëindig die innigheid so skielik soos dit begin het. Jou medepassasiers klim uit in Marnixstraat of op Museumplein, stap oor op lyn drie of lyn tien; die ontgrendelde skuifdeure laat die skerp, vars winterkoue na binne tesame met 'n nuwe vrag passasiers. Jy skuif op in die trem, soek na 'n leë sitplek of 'n ander lus om aan te hang, en wag jou eie halte af. Oë kyk sonder herkenning in joune en hande gryp in die verbygaan aan hanglusse en pale om staande te bly in die rukkerige voertuig; mense sit hulle lewens voort. Liggame bly vreemde, onbekende dinge en die aanraking daarmee iets van verbygaande aard. Al wat behoue bly, is verlange.

„Ek moet ingaan stad toe om my foto's te haal," sê Elsa terwyl sy druiwe eet. „Hilde, hoe lyk dit?"

„Waarom gaan ons nie almal saam nie?" vra Hilde.

„Hoekom?" wil Johan weet waar hy met sy voete op 'n stoel 'n weke-oue koerant uit Suid-Afrika sit en lees. Dit lyk asof Hilde iets wil sê, maar sy onderdruk haar antwoord.

„Ons kan daar eet," sê sy. „Die restaurant waar ek en Elsa laas geëet het, was baie goed."

„Ek sien dat Tinus weer in die koerante begin skrywe," merk Johan op. „Hy't seker geld nodig."

„Die foto's moet al lankal klaar wees," sê Elsa. „Wie gaan saam? Johan, jý? Ruud?"

„Ek het vir Ruud belowe ek sal hom na die versonke stad toe neem," sê Johan voordat ek kan antwoord.

„Daar is tog genoeg tyd daarvoor," sê Hilde.

„Hilde," val Elsa haar in die rede, „kom jý saam?" Dan struikel Julien egter waar hy oor die terras hardloop, val en begin huil, en Hilde gaan vinnig om hom te troos. Elsa steek nog 'n druiwekorrel in haar mond en lees die agterkant van die koerant waarmee Johan besig is. „Ná al die jare nog altyd dieselfde mense in Suid-Afrika wat besig is om dieselfde dinge te doen," sê sy. „Verbaas dit jou nooit nie?"

„Tyd bestaan nie meer nie," antwoord Johan lui, rek hom uit en gaap. „Niks kan meer verander nie. Daar is net hierdie eiland en die son en die see." Die blaaie van die koerant wapper in die oggendwind en waai dan uit sy hande, en ek buk om hulle op te tel.

„Hoekom sê jy niks nie?" vra Elsa my beskuldigend.

„Wat moet ek sê?"

„Julle's 'n gevrekte spul," merk sy op, maar sy bly met haar elmboë op die tafel sit. „Hilde, kom jy saam?"

„Ons hoef tog nie vandag al te besluit nie," sê Hilde met Julien in haar arms en kyk na Johan, maar hy merk dit blykbaar nie.

Ons gaan af strand toe om te swem, ek en Johan, om op die sand te lê en lui saam te gesels; die somerdae gloei nog van die lig en die hitte, en ons is bruingebrand van die son. Die gloed sal nie minder word nie, nòg sal die somer oorgaan, die dae aaneengeryg in 'n eindelose reeks, met blou lug wat in blou lug oorgaan en sononder wat met sonop saamsmelt bo hierdie breë strande en eindelose see.

Ons swem, ons gaan dorp toe om inkopies te doen, ons gaan stap en drink wyn in die skadu van kafeeterrasse. Ek onthou die helder landskap van die eiland, die stofpaaie en boerderytjies met hul skielike groen; ek onthou helder, stromende water, koel oor my hande, en 'n laning tussen die tuine van landhuise deur onder aaneengerankte bome, die daglig tot 'n dromerige skadu opgebreek deur die digtheid van die lower. Ek onthou die strand waar die kind weghardloop, en die weerkaatsing van die wit sand in die son, die gloed waarin die verre wandelaars drywe, die meisies op die rotse wat so ver weg is dat hul stemme onhoorbaar geword het en hul gebare 'n rustige skoonheid besit, die wandelaars saam, die hardlopende kind. Ek onthou die bootjie waarin daar mense weggeroei word, geleidelik uit die gesig oor die vlak van die see, en die aand wat met koelheid en teerheid neerval uit die hoë lug, die musiek, die glimmende strand en kinders wat speel, die ou vrouens in swart bymekaar en die geleidelike verkleuring. Die musiek word stil, die vroue praat nie meer nie, die bootjie is reeds ver weg op die see. Die eseltjie wag.

Ek onthou verspreide, onsamehangende dinge uit daardie tyd toe ons gewoonlik saam was, foto's en poskaarte wat die verhuisings oorlewe het, toevallige briewe wat die vernietiging vrygespring het, klippies en skulpies en geplette blomme wat jy oorhou totdat hulle uiteindelik ook verlore raak of weggegooi word. Ek onthou dat ons saam was en dat ons baie gelag het. Soms het Johan sy sketsboek geneem en sit en teken, landskappe of eenvoudige tekeninge van mense of voorwerpe, soos die oefeninge van 'n kunsstudent. 'n Paar keer het ek ook probeer teken en het hy my foute met sterk, seker potloodstrepe verbeter.

Ons het genoeg gepraat, oor ander dinge, oor ander mense en oor onsself, en stadigaan het ons 'n punt bereik waar woorde nouliks nog nodig was. Ons het geleer om met mekaar te kan swyg, saam aan die strand of op die kafeeterras in die koelheid van die aand, bewus van alles wat daar is om te sê en sonder behoefte om dit te herhaal. Die tyd het gekom dat ons dikwels vir lang tye stil was, tevrede met die stilte en die samesyn.

Hilde het met Elsa stad toe gegaan, maar sy het Julien saamgeneem ten spyte van my versekering dat ek nie omgee om weer by hom te bly nie. Sy was kwaad vir Johan omdat hy nie met hulle wou saamkom nie, miskien oor ander dinge ook, maar sy het nie haar gevoelens uitgespreek nie en hulle was net waarneembaar as ondertoon van haar swye. Johan self het sorgeloos gebly en niks gemerk nie of voorgegee dat hy niks merk nie.

Ons het die dag op die strand deurgebring: hy het op die lugmatras gedrywe met hande en voete wat afhang in die water terwyl ek langsaam om hom heen swem.

„Hoe lank gaan Elsa nog hier bly?" vra ek terloops.
„Ek weet nie. Maak dit saak?"
„Dit sal anders wees wanneer sy weggaan."
„Waarskynlik. Hinder die gedagte jou?"
„Hilde sal haar mis," merk ek op, en hou met een hand aan die dobberende matras vas. Johan antwoord egter nie, en ek wil weer wegswem wanneer hy praat. „Dan sal ons moet sorg dat Elsa hier bly," sê hy. „Maar sy het nog geen aanstaltes gemaak om te gaan nie. Daar is nog baie tyd," roep hy my agterna.
Stadig en met lang slae swem ek rondom hom in kringe wat al hoe wyer word.
„Ek moet jou nog altyd leer om onderwater te swem," sê hy. „Ek het belowe om dit te doen."
„Ek stel jou daarvan vry."
„Ek moet jou na die versonke stad toe neem."
Ek swem terug en kom weer aan die matras vashou. „Dit klink interessanter. Waar is dit presies?"
„Heeltemal aan die ander kant van die eiland."
„Wat is dit eintlik? Wie het dit gebou? Wat het daarmee gebeur?"
„O, dis sommer 'n stad wat eeue gelede weggespoel en toegespoel is. Jy kan duik en stukke van ou kruike ophaal, soms selfs munte. Ek sal jou leer duik." Die lugmatras drywe weg en ek dryf saam. „Ons kan vanmiddag nog gaan," sê hy.
„Dis te ver; dis nou al te laat."
„Versigtig, versigtig!" spot hy. „Kom, klim op die matras."
„Dis te klein vir ons twee."
Hy lag en probeer my langs hom optrek, maar die matras vou in en glip van my weg. Vir 'n tydjie spartel ons saam en dan slaan dit om en duik Johan weg in die water langs my. Die seevlak skitter in die son, en die matras, bevry van sy las, dryf met die golwe saam na die strand.

Hilde is nie geesdriftig oor Johan se voorstel om my na die versonke stad te neem nie. „Dis tog nouliks die moeite werd om die hele ent soontoe te gaan," sê sy.
„Hoe weet jy?" vra Johan. „Jy was nooit daar gewees nie."
„Jy het my daarvan vertel."
„In elk geval, Ruud wil graag soontoe gaan."
„Elsa, stel jy nie belang nie?" vra Hilde, en Elsa kyk op van die ontwikkelde foto's wat sy uit die stad teruggebring het.
„Dit klink nie so aanloklik nie," sê sy ingedagte, asof sy net half na die gesprek geluister het.
„Dan kan jy terselfdertyd ook 'n ander deel van die eiland sien," opper Hilde, maar Elsa keer terug na die foto's. „Wanneer wil jy dan gaan?" vra Hilde ná 'n tydjie.
„Ek weet nie — môre, oormôre miskien."

„Is dit nie moeilik om daar te kom nie?"

„Die busse sluit sleg by mekaar aan. Ons sal die nag daar moet bly."

Dan kyk sy vinnig op. „Waarom? Dis tog nie nodig nie."

„Hoe anders dan? Toe ek self soontoe gegaan het, het ek dit ook gedoen."

„Ek hou nie daarvan dat jy 'n hele nag weg is nie."

„Hierdie keer het jy tog vir Elsa om jou geselskap te hou."

Ek sit op die rand van die terras amandels en pel terwyl Julien my met belangstelling dophou, en dan kom Hilde hom wegneem om hom in die bad en in die bed te sit. Wanneer sy langs my buk om hom op te tel, sien ek haar lang, los rok en haar sandale, maar sy sê niks nie. Die aand het koel en stil geword: die ou man en vrou van die huis agter die heuwel kom swygend die voetpaadjie op en groet in die verbygaan, maar in sy vrou se teenwoordigheid toon die ou man geen behoefte om te bly gesels nie, alhoewel hy gewoonlik 'n gesprek met Elsa kom aanknoop wanneer hy haar sien. Stadig word die bak langs my gevul met neute.

„*Les ruines sont peu importantes, et une partie seulement des maisons est demeurée visible*," sê Elsa, en ek weet nie dadelik waaroor sy praat nie.

„Wat is dit?" vra ek.

„Die versonke stad wat jy so graag wil sien." Sy het die *Guide Bleu* gaan haal om inligting te soek en sit nou daaruit en voorlees. „*L'excursion est recommandée moins pour l'importance des ruines que pour la beauté du golfe*. Blykbaar dus niks besonders nie."

Ons sal egter gaan: Johan het dit reeds besluit, ten spyte van Hilde se onverklaarde onwilligheid om die plan goed te keur, en ons sal die nag daar deurbring. Die onwilligheid het gebly, en alhoewel Hilde niks meer gesê het nie, kon ek voel dat sy my hiervoor verwyt. Ek het gesien hoe sy na Johan kyk terwyl hy die dinge bymekaarsoek wat hy in die seildoekskouertas wil saamneem, met daardie onuitgesproke verwyt in haar oë en 'n sekere beslistheid om haar mond, asof sy vasberade is om hom nie van sy plan te probeer afbring nie, maar ewe vasberade om hom nie te vergewe as hy daarmee deurgaan nie. Sy het omgedraai en my gesien: haar oë het oor my gesig beweeg asof sy daar iets soek, en toe het sy na binne gegaan. Soos gewoonlik het sy haar gevoelens in haar omgedra, haar eie, persoonlike angs en afkeuring, agterdog en huiwering, waaroor sy nooit iets sê nie. 'n Tyd lank was ons twee vriende gewees, saam hier in die huis, op die terras, aan die strand, maar sy het weer omgedraai en die huis ingegaan; sy het woordeloos langs my gebuk om Julien op te tel en nie meer gepraat nie.

Johan en ek het egter gegaan, en Elsa het op die trappies van die terras gesit met 'n serp om haar kop om ons na te wuif: by die buiging in die pad het ons omgedraai, en sy het daar gesit met haar wit bloes en blou serp helder in die kleurlose lig van die vroeë oggend en vir ons gewuif. Hilde het by die deur gestaan en eers nie beweeg nie, maar toe het sy haar hand opgelig en ons ook stadig agternagewuif.

Dit was vroeg in die oggend en die land was koel en stil. In die stad het ons rondgedwaal en na die kerkies gekyk, en met 'n ander bus het ons toe verder gereis, in die geselskap van boere en giggelende meisies en besoekers met vol strandtasse en jengelende kinders, verby verspreide boerderytjies en wingerde, tussen heuwels deur in 'n dwarrelende stofwolk, en verder, totdat ons uiteindelik by 'n berg uitklim, sommer langs die pad sonder teken van mense, en deur 'n wingerd na die see toe loop, na 'n strand met stuntelige sipresboompies en 'n kafee waar hulle kamers verhuur.

„Waar is die versonke stad?" het ek gevra, en Johan het vaag in die rigting van die see beduie, waar ek 'n lae landtong kon sien, niks meer nie. Dit was Hilde wat die eerste oor die stad gepraat het, Johan wat voorgestel het dat ons soontoe gaan en Elsa wat in die reisgids besonderhede daaroor gesoek het, terwyl ek self ongeïnteresseerd bly, maar nou het die gedagte daaraan my begin boei. „Gaan ons soontoe?" het ek Johan gevra.

„Wil jy dan?" antwoord hy 'n bietjie verbaas.

„As dit moontlik is."

„Mens kan tot by die punt van die skiereiland stap, dan is jy baie naby, naby genoeg om soontoe te swem."

„Sal ons gaan?" het ek gevra, en ons het dié middag dus soontoe gestap langs die sanderige strand van die landtong. Blykbaar was die stad aan die punt daarvan geleë gewees en het dit daarvandaan in die see afgebrokkel en weggespoel. „Kyk," sê Johan toe ons dit bereik, „dis al wat daar is."

Die hele pad soontoe het ons nie gepraat nie, en dit was sy eerste woorde. Hiervoor het ons dus gekom, dink ek terwyl ek oor die rotse en laaste sandbanke afklim tot by die rand van die water.

„Wat soek jy?" roep Johan my agterna.

„Jy het gesê dat daar nog oorblyfsels van geboue op die hoë grond is."

„Hier anderkant, agter die duine."

Ek klim oor die duine met los sand wat onder my voete wegskuif, en vind brokstukke van uitgebeitelde klippe wat willekeurig rondgestrooi lê en plaveisel wat nie deur die waaiende sand bedek is nie.

„En die stad self?" vra ek.

Johan wys na die onreëlmatige lyn van die rotse wat voor ons afloop na die water en daarin verdwyn.

„Wat sien jy as jy duik?"

„Niks meer as hiér nie — klippe, stukke van mure en fondamente, skerwe van kruike, handvatsels, stukkies van komme, verroeste metaal..."

„Wou jy dan nie duik nie?"

„Nee," sê hy. Hy het ook nie sy duikapparaat saamgebring nie.

„Ek dog dit is waarom ons gekom het."

„Nee," sê hy weer.

Ek bly staan langs die rotse wat afloop in die see. Hier is dit dus, hier is ons, aan die einde van die tog, aan die einde van die reis, aan die rand van die water met niks meer te sien nie as die onreëlmatige rotse en die verwaaide bouvalle op die hoogte. „Stel jy dan belang?" onderbreek Johan my gedagtes.

„In die stad?" vra ek. „Ja, noudat ek dit sien. Die gedagte dat dit bestaan het en net so verdwyn het, en dat daar onder die water reste gebly het wat wag om teruggevind te word . . ." Johan het gaan sit en kyk my glimlaggend aan terwyl ek tussen die rotse en los duinsand loop en soek asof ek hoop om nog iets te vind, maar daar is niks nie, geen uitgesnyde pilaarkoppe, geen goue munt of sieraad om die lig te vang nie tussen die struikgras en sand van die duine. Ek stap langs die rotse waar die gety roerlose waterpoele agtergelaat het, en sien hoe die laatmiddag oor die baai verkleur. Die gekartelde oppervlak van die see verraai niks van wat daaronder skuil nie. Uiteindelik gaan ek langs Johan sit.

„Waarom het ons dan gekom?" vra ek.

„Ek weet nie," sê hy. „Ek het nie my motiewe ontleed nie, ek wou jou sommer hierheen bring na die versonke stad, of na die plek waar die stad wás. Dis seker ook maar onsinnig as jy daaroor nadink, maar jy doen wat jy kan, jy maak die gebare wat jy ken." Hy haal sy skouers op. „Ek weet nie," sê hy nadenkend, „maar op een of ander manier voel ek dat hierdie stad heeltemal aan my behoort, asof ek dit self ontdek het en niemand anders daarvan weet nie. Ek het die hele ent hierheen gestap toe ek vir die eerste keer kom, byna asof ek op 'n pelgrimstog was, want nadat ek daarvan gehoor het, het dit vir my iets besonders begin word — die strate en pleine wat onder die golwe wag, soos jy ook self gesê het, 'n soort verlore paradys byna wat wag om teruggevind te word. En toe ek hierheen kom, was dit op een of ander manier net so wonderlik soos ek verwag het. Ek het ure lank gestap sonder dat ek selfs iemand langs pad gesien het om mee te praat, en ek was moeg en warm en stowwerig toe ek uiteindelik hier aankom. Ek het op hierdie plek kom swem en die water was koel; ek het geduik en die oorblyfsels van die stad gevind, en ek het stukke erdewerk boontoe gebring. Ek het hier op die strand bly lê, en later het ek by die kafee iets gaan eet en 'n kamer gehuur vir die nag, maar niemand het my lastig geval nie, ek het alleen gebly en dit was nie nodig om met enigeen te gesels nie. Ek het die nag hier deurgebring, die eerste keer sedert ons getroud is dat ek 'n hele nag weg is van die huis; dit was asof ek 'n ou vryheid teruggekry het, sonder noodsaak vir mense of woorde of enigiets anders."

„Ek sal jou ook alleen laat as jy dit verkies," sê ek.

„Ek probeer nie te kenne gee dat ek alleen wil wees nie, ek wil vir jou duidelik maak dat hierdie plek vir my 'n spesiale betekenis het, dat dit iets is wat heeltemal myne is. Daarom wou ek jou ook hierheen bring, om jou iets te kan gee en iets met jou te kan deel; sodat daar iets is wat ons saam kan besit, 'n soort pand."

„'n Pand waarvan?" vra ek, maar wanneer hy weer praat, gee hy geen antwoord op my vraag nie.

„Dit was mooi gewees, daardie dag by die versonke stad," sê hy; „dit was mooi gewees op die eiland al die maande dat ek hier rondswerf, maar dit was nie genoeg nie. Jy knoop 'n praatjie aan met 'n kafee-eienaar of mense in 'n winkel, maar dan wil jy prááT en daar is niemand nie. Jy sit alleen op een of ander terras en jong seuns slenter verby om jou aandag te probeer trek, of die vroue van toeriste lonk vir jou agter hul sonbrille, maar dit is nie genoeg nie. Jy wil iemand hê wat langs jou sit, wat saamgaan wanneer jy opstaan om te gaan, iemand met wie jy kan praat of stil wees, met wie jy kan gesels oor 'n plek soos hierdie waaroor jy opgewonde is of met wie jy dit kan deel sonder om 'n woord te sê." Hy draai sy kop na my toe alhoewel ek wegkyk oor die verkleuring van die see. „Verstaan jy dit?" vra hy.

„Jy is nie alleen nie," sê ek. „Jy het tog jou gesin by jou, Hilde en Julien."

„Dis miskien die ergste eensaamheid wat daar is, om langs mekaar te lewe nadat jy lankal die vermoë verloor het om nog iets vir mekaar te kan sê of om iets te begryp."

„Jy kan probeer begryp," sê ek.

„Dit het nie meer sin nie, ek het die poging al lankal laat vaar."

„En dan?"

„Dan bly jy soek en wag. Verstaan jy?" vra hy weer. „Verstaan jy, of sit ek tog verniet en praat?"

Die aand is stil; daar is geen mense op die breë strand wat die baai omsluit nie en die kafee is so ver weg dat geen geluid daarvandaan ons bereik waar ons op die rotse bly sit het nie. In die stilte bly Johan wag op my antwoord. „Ja," sê ek, „ek verstaan. Hoe dink jy dan het ek self my lewe deurgebring? Hoe dink jy het ek hierheen gereis, deur al die vreemde lande; hoe het ek weke lank in Amsterdam en Parys geleef?"

„Wat het jy daar gedoen?" vra hy saggies.

„Rondgestap deur die strate, en gekyk na die vensters en na die gesigte van die mense wat verbygaan."

„Ek was gelukkig gewees in Parys," sê hy. „Ek was jonk en onnosel en geesdriftig, ek wis nog niks van die lewe nie, ek was vir die eerste keer oorsee. Ek het Hilde daar ontmoet en ons was tevrede saam; sy's 'n baie rustige mens, by haar kan jy tot rus kom. Of so het dit gelyk." Hy sit en speel met die seegras. „Soms dink jy dat jy gevind het wat jy soek, maar gewoonlik ontdek jy gou dat jy jou maar net nóg 'n slag vergis het, en jy moet weer van voor af aan begin soek, van voor af aan al die gesigte afsoek wat op straat verbygaan." Hy glimlag oor die woorde. „Waarom wil jy nie beken dat jy eensaam is, dat daar dinge is waarna jy verlang nie?" vra hy. „Dink jy dan die verlange sal weggaan as jy dit lank genoeg ignoreer, as jy nie daarna kyk of daaroor praat nie?"

„Dit gaan nie weg nie, ek weet dit."

„Waarom stry jy dan daarteen?"

„Jy het nou self gesê hoe vreeslik dit is wanneer mense die vermoë verloor het om nog iets vir mekaar te kan sê; jy het self gesê dat jy elke keer maar weer uitvind dat jy jou vergis het. Die pyn wat ander mense jou aandoen, is erger as die pyn van hul afwesigheid, dis erger as enige verlange."

Johan kyk na die seegras in sy hand en skud dan stadig sy kop. „Nee, nóóit nie. Jy bly soek en wag, en niks anders maak saak nie."

„En die ontnugtering, die seerkry en ongelukkig wees?"

„Jy bly wag," herhaal hy, „jy bly glo dat daar iets sal gebeur. Hoe moet jy anders die lewe deurkom, soos 'n tydelike besoeker, 'n reisiger op 'n deurtog? Kan jy dan sê dat jy dit bevredigend vind om sonder verwagting te lewe?"

„Nie bevredigend nie, maar moontlik, baie goed moontlik."

„En is daar dan niks meer as verlange nie, niks meer as die verbete aanvaarding nie? Is daar nooit iets meer nie?"

„Miskien," sê ek ná 'n lang stilte; „miskien soms. Ja, soms is dit nie meer moontlik om aan te gaan nie, en jy waag alles, alle teleurstelling en ontnugtering en ongelukkig wees, omdat daar iets is wat die waagstuk werd is, of omdat jy glo dat iets dit werd is."

„Wat, byvoorbeeld?" vra hy.

„Die dinge wat jy self al genoem het. 'n Oomblik wat jy ten alle koste wil bewaar. Hierdie oomblik op hierdie strand, soos dit nou is; woorde of stilte, samesyn. 'n Ander mens — altyd 'n ander mens, dis altyd waarom dit gaan."

„Ja," sê hy nadenkend, „maar nog meer as net dit. Net één mens, net één gesig uit die menigte, net één stem wat antwoord gee wanneer jy roep — iets heeltemal toevalligs, en tog ook heeltemal onvervangbaar." Hy maak 'n ongeduldige gebaar. „Ag, watter nut het dit, jy praat en praat, maar jy rig tog niks uit nie, dinge gebeur heeltemal los van jou, los van alles wat jy sê en doen."

Ons sit weer in stilte en kyk hoe die skemer aangroei oor die baai. Ek voel sy skouer langs my en sy arm teen myne soos daardie aand toe ons saam gesels het in die donker van die terras, en blykbaar word hy ook daaraan herinner, want met dieselfde gebaar draai hy na my toe en raak weer my gesig aan, my voorhoof en wang, en druk dan sy mond teen myne. Swygend bly ons daar sit en uitkyk in die vrede van die skemeraand en beweeg nie, asof ons met ons roerloosheid en ons swye die oomblik kan laat voortduur.

Soms kom daar skielik so 'n oomblik in die rumoerige gang van die tyd, onverwag en onbehoudbaar: 'n middag in die swaar skadu van eikebome, 'n kamer by lamplig, of 'n skemeraand langs die strand waar lug en see langsaam verkleur en die daglig kwyn. Ek onthou daardie baai nog, die seegras en die rotse, die lae lyn van die kus, en die berge van die binneland; ek onthou die geluid van die see, en die stilte. Ek onthou die glansende strand waar die gety wegvloei, en kinders wat speel; die kafee, die wyn wat ons gedrink het, en die geskreeu van nag-diertjies in die donker — daardie plek het in my geheue bewaar gebly en geen deel daarvan het verlore gegaan nie.

Ek het vroeg wakker geword in die kleurlose helderheid van die oggend wat aan sonop voorafgaan, en ek het opgestaan om die hortjies oop te maak en na buite te kyk, saggies op kaal voete om Johan nie wakker te maak nie. Almal het nog geslaap, en buite was daar niemand te sien nie, die kafeeterras verlate.

Half aan die slaap het ek voor die venster bly staan, teen die kosyn aangeleun, en na die glansende oggend gekyk. Die lug was onversteur deur 'n voël en die strand ongemerk deur 'n voetstap, die enigste beweging in daardie groot stilte die trae gang van die golwe oor die sand. Soms gebeur dit dat daar niks meer oorbly om te verlang nie, soms is daar 'n enkele oomblik wat wal gooi teen die verwering van die tyd, een enkele sekonde waarin die lug bly wag en die breë strand ongerep is deur 'n voetstap. Dit sal verbygaan, maar die wete maak nie saak nie; wat nog sal gebeur, is láter, en kan niks verander aan wat reeds verby is nie. Half aan die slaap leun ek met my kop teen die kosyn en kyk na die strand in die helder oggend.

In die wakker, rukkerige wind waai die papiere uit oor die terras — die koeverte, die knipsels, die los blaaie van koerante wat deur familie of vriende uit Suid-Afrika aangestuur is. Ek sien vertroude gesigte op die koerantfoto's wat by my voete oor die plaveisel verbytuimel; ek sien bekende name van mense en plekke, en flitse van opskrifte in Afrikaans. Dan dwarrel die wind die papiermassa uit oor die rand van die terras en lig dit op bo die pad en oor die see. Kraaiend van plesier strompel Julien die vliegende papiere agterna, arms uitgestrek om iets daarvan te probeer vang.

Hilde kom aangehardloop van die kombuis. „Alles waai weg," roep sy uit, en kan nog net keer dat die laaste koerantreste weggevoer word. „Johan," roep sy, „al jou papiere waai weg."

„Johan is af hawe toe," sê ek. „Hy's in elk geval klaar met die knipsels."

Sy draai om en kyk na my, die koerante in haar hand, maar sê niks nie. Elsa kom ook juis met die voetpaadjie aan. „Dis 'n herfswind daardie," merk sy op.

„Nie nóú al nie, dis nog te vroeg."

„Jy verwag tog nie dat die somer heeljaar gaan aanhou nie, hartjie. Selfs in Griekeland."

„Wanneer is Johan weg?" vra Hilde.

„Net 'n rukkie gelede."

Sy wil weet waarom hy hawe toe is, maar sy wil my nie vra nie. Dan fluit Johan onder in die pad en ek staan op.

„Waarheen gaan julle?" vra Hilde terwyl ek handdoek en swemklere gaan haal.

„Ons gaan langs die kus af stap na een van die vissersdorpies."

„Dit sal nie baie aangenaam wees op die strand nie, nie met hierdie wind nie."

„Ek weet nie of ons gaan swem nie," sê ek. „Ek vat maar net my swemgoed saam vir geval ons lus kry."

„Ek het gedink ons kan na die strand hier anderkant die hawe gaan, Hilde," sê Elsa. „Onder die kranse is dit taamlik beskut..."

Ek wag nie om Hilde se antwoord te hoor nie, maar terwyl ek met die voetpaadjie af loop, roep sy na Johan waar hy onder in die grootpad bly wag het. Dan aarsel sy egter en weet nie wat om vir hom te sê nie. „Kom julle terug vir ete?" vra sy.

„Ek weet nie," roep Johan terug; „ons sal sien," en ons stap verder en laat haar agter op die winderige hoogte. Die verwaaide koerante fladder voor ons uit en Johan hardloop om hulle voor ons voete weg te skop.

Dit is nog somer, wát Elsa ook sê en wát daardie skielike, rukkerige wind ook voorspel, met goue, deursigtige dae wat glans in die lig. Alles gaan voort soos vantevore; ons gaan swem en gaan stap, en lê lui en gesels op die strand of in die skadu, en steur ons aan niks anders nie.

„Is jy gelukkig?" vra Elsa my eendag nadenkend.

Ek kyk op, verras deur die onverwagtheid van haar vraag, maar haar blik verraai niks nie.

„Ja," sê ek. „Hoekom vra jy?"

„Sommer uit belangstelling, of dalk nuuskierigheid."

„Het jy dit dan nie verwag nie?"

„Ek weet nie, jy's nie eintlik so 'n blymoedige tipe nie. Net so min soos ek."

„Af en toe kom daar darem oomblikke van tevredenheid."

„Ja, die kosbare oomblikke, nè? Ons moet hulle pluk soos druiwe, die korrels wat die gloed van die son bewaar; ons moet hulle versamel en pars om nog jare lank die wyn te kan drink, al die winters wat kom." Sy praat spottend, asof dit een of ander bekende maar effens banale stuk prosa is wat sy aanhaal.

Ons lê naby mekaar op die strand: ons het almal saam strand toe gekom, en Hilde is in die vlak water besig met Julien. Johan het gaan swem.

„Wat bly jy so besig met herfs en winter?" vra ek haar.

„Ek is bang vir die winter," sê sy.

„Waarom dan?"

„Ek weet nie, dit was maar altyd so gewees; die herfs is 'n onrustige tyd, angswekkend. En nou begin dit weer tyd word vir verder reis. Ek het nie meer lus vir reis nie."

„Jy kan tog hier bly."

„Nie altyd nie." Sy laat die seesand deur haar vingers gly. „Wat gaan jý doen as jy hier weggaan?" vra sy.

„Ek het geen planne gemaak nie. En jý?"

„Ek het ook nie eintlik planne nie. Dalk Turkye, ek weet nie."

„Jy moet tog eers teruggaan na Piréus, al die skepe gaan Piréus toe. Dan is daar genoeg tyd om verder te besluit."

Sy antwoord nie, en ek bly lomerig op my rug lê op die warm sand, oë gesluit teen die son. Sy sê niks meer oor weggaan nie, maar sy begin weer haar kaarte en reisgidse op die terras uitsprei soos sy gedurende die eerste dae na haar aankoms gedoen het, en sit lank oor hulle geboë.

„Elsa is blykbaar van plan om weer pad te gee," sê Johan eendag vir Hilde.

„Ná 'n tydjie word sy altyd rusteloos. Selfs in Parys het sy nie lank gebly nie, toe is sy Kanada toe."

„Ek het die indruk gekry dat sy uit Parys uit weg is omdat ons getroud geraak het."

„Miskien. Elsa word baie geheg aan mense, byna besitlik."

„Dit weet ek wel. Sy het hard genoeg geveg om te probeer verhoed dat ons twee saam gaan bly."

„Jy oordryf nou," sê Hilde.

„Jy weet dat ek nie oordryf nie. Sy het my nooit vergewe omdat ek tussen julle gekom het en 'n einde gemaak het aan jul saamwoon nie."

„Dit is tog begryplik dat sy nie daarvan gehou het dat ek weggaan nie: dit was 'n gelukkige tyd, die tyd dat ons saam was in Parys."

„Verlang jy ooit daarna?" vra Johan.

„Wat help dit om te verlang? Dit is tog verby en ons sou dit nie weer kan oor hê nie."

„Sou jy dit wíl oorhê?" vra hy. Hy wag egter nie op haar antwoord nie. „Toe maar," sê hy, „ek verstaan."

„Wat bedoel jy?" vra Hilde, maar hy is besig om in Elsa se gidsboeke rond te blaai. „Wat soek jy?" vra sy dan in 'n sagte, terloopse stem.

„Ek kyk sommer," sê Johan.

„Waarom?" vra sy op dieselfde toon. „Waarom?" herhaal sy. Johan sê niks nie. Sy wil na hom toe gaan, maar aarsel in die middel van die beweging en stryk haar hare van haar voorkop weg met 'n skugter, onseker gebaar. „Julien!" roep sy dan skielik, maar die kind antwoord nie waar hy êrens in die tuin tussen die oleanderstruike speel nie. „Julien!" herhaal sy. Ek sou na haar toe wil gaan, ek sou een of ander woord wil sê om haar in haar angs te troos, maar wat is daar om te sê, wat is daar wat sy sou wil hoor?

Johan het opgekyk van die kaarte om my iets te vra. „Julien!" roep Hilde skerper, en dan hardloop sy tussen ons deur met los sandale wat klap oor die plaveisel, af na die tuin om die kind te soek.

„Kom ons gaan Noord-Afrika toe," sê Johan vir my asof hy 'n wandeling na die strand voorstel.

„Ons het nie 'n visum vir Noord-Afrika nie," antwoord ek ligweg, sonder om sy woorde ernstig op te neem.

„Jy kan daarby verbykom. Jy't tog gesê jy sou graag Noord-Afrika toe wil gaan."

„Minarette en blou berge en woestyn," sê ek dromerig, maar ons praat nie verder daaroor nie.

Daardie reisbrosjures en kaarte wat weer te voorskyn gehaal is, het egter die vredige gang van die dae versteur, en dit was nie meer moontlik om voort te gaan asof ons vakansie in 'n oneindige reeks blou dae voortgesit sou word nie, nie noudat Elsa begin praat het oor besprekings wat gedoen en skepe wat gehaal moet word nie. Die uitgespreide boeke en pamflette op die terras het Hilde ook gehinder, en wanneer sy 'n kans had, het sy hulle met vinnige, teësinnige bewegings begin opruim en gaan bêre. Dit was dan Johan wat hulle weer gehaal het en oor die plaveisel van die terras uitsprei terwyl hy self op 'n diwan lê om hulle kop onderstebo te bestudeer en die uitgestippelde koerse van vrag- en passasierskepe oor die blou kaartvlakke te volg.

„Ek bedoel wat ek gesê het oor Noord-Afrika," sê hy eendag vir my. „Sal jy met my saamkom?"

„Ek Hilde dan, en Julien?"

Ons stap met die voetpaadjie langs die kranse af na die strand.

„Hilde is tog nie gelukkig in Griekeland nie, sy hunker na Holland, sy hunker al solank ons getroud is, alhoewel sy nooit 'n woord daaroor gesê het nie. Sy kan Julien vat en teruggaan na haar mense, dan kan óns vir 'n paar maande verder reis. Sy het ook nooit van reis gehou nie; sy wil 'n huis hê, vertroudheid, geborgenheid, sekerheid — al die dinge wat ek haar nie kan gee nie."

„Jy kan haar tog nie so alleen laat nie."

„Sy kan nie méér alleen wees as wat sy nou is nie."

„Ek hou van Hilde," sê ek. „Ek wil nie hê dat sy ongelukkig moet wees nie."

„Soms lyk dit vir my asof ongelukkig wees onvermydelik is wanneer twee mense bymekaar uitkom, hoe goed die bedoelings ook is."

Ek oorweeg nog sy vraag. „Wil jy dan so graag na Noord-Afrika gaan?" vra ek.

Hy haal sy skouers op. „Jý het eerste daaroor gepraat, maar dit kan ook êrens anders wees. Die eilande, Israel, Italië, Spanje — jý kan kies, dit maak nie vir my saak nie."

„Wat maak dan wel saak?"

„Om hierdie tyd, hierdie dae te verleng, op watter manier dan ook, wát dit ook kos."

Ek volg hom langs die smal, klipperige paadjie en klouter agter hom aan oor die úitstekende rotse, gryp aan die digte seegras wanneer ek struikel, en bereik die strand onderaan die kranse waar hy op my wag.

„Ek glo nie dat jy dit kan doen nie," sê ek.

„Wát?"

„So iets verleng nie — hierdie dae, hierdie tyd."

„Jy glo dat jy gestraf gaan word omdat jy gelukkig is."

„Nee; ek het net geleer dat die geluk 'n verbygaande ding is."

„Dalk, maar dit beteken nie dat dit nóú al beëindig hoef te word nie. Besluit nou — sê vir my, kom jy saam?" Skielik lag hy en hardloop voor my uit langs die strand, bly staan om na my terug te kyk, en hardloop dan die vlak water in, kaalvoet in seilbroek en helder hemp. Ek hardloop agterna om hom by te hou. „Kom jy saam?" roep hy en lag nog altyd, en hardloop verder in die see, tot by sy knieë in die water. „Kom jy saam?"

Hy beweeg verder in die see asof hy my wil uitdaag om hom te volg; op die nat, glimmende strand aarsel ek nog, en dan aanvaar ek die uitdaging, skop my sandale uit en hardloop agter hom aan in die water. Hy gee my egter geen kans om die herhaalde vraag te antwoord nie: met sy hande spat hy water oor my totdat ek heeltemal nat is. „Ja," sê ek terwyl ek proes van die water, „ja, ek sal saamkom," en hy hou nie op met lag nie.

Elsa het gelyk, het ek onwillig begin besef: die vakansie het lank genoeg geduur en dit is tyd om die verblyf op die eiland te beëindig, tyd om die reistasse en koffers te pak en te gaan. Ten spyte van al haar gebare in dié rigting het Elsa nog geen aanstaltes gemaak om te vertrek nie, maar oor kaarte en brosjures het Johan en ek afgespreek om per boot ooswaarts te reis: oor Skíros, waar daar 'n digter begrawe is, oor Límnos, waar Hephaistos met Aphrodite getroud is, en Samothráki van die gevleuelde oorwinningsbeeld na Turkye, en van daar na Ciprus om 'n boot na Noord-Afrika te haal. Dit was moeilik om in die werklikheid van daardie eilande te glo of te besef dat hulle meer is as mooi name vol herinnering en belofte. Ek het die inligting van die *Guide Bleu* herlees sonder dat hulle hul dromerige onwesenlikheid verloor. Altyd het Hilde dan weer gekom om die boeke en brosjures woordeloos op te ruim en êrens weg te sit waar hulle nie gevind kan word nie.

„Weet jy waar die reisgidse is?" vra ek haar waar sy besig is om wasgoed op te vou.

„Ek het hulle gebêre," sê sy na 'n oomblik, en voeg niks aan haar antwoord toe nie.

„Ek wou daarna kyk."

„Maak jy planne om verder te reis?" vra sy afgetrokke.

„Ek kan tog nie hier blý nie."

„Johan het gesê jy kan."

„En jý?"

Sy vou die kleurige tafeldoek, haar rug na my toe. „Waarheen gaan jy?" vra sy.

„Ek weet nog nie."

„Wanneer?"

„Ek weet nie."

„Hóé gaan jy?"

„Wat bedoel jy?"

Sy stryk die gevoude tafeldoek glad en oorweeg die woorde waarmee sy moet verduidelik. „Wat gaan Johan doen?" vra sy dan saggies, en kyk my aan met haar grys, helder oë, die eerste keer in 'n lang tyd dat sy my reguit in my gesig aankyk.

Dit is heeltemal onverwag. „Waarom vra jy hom nie self nie?" vra ek.

„Hy sal nie vir my sê nie, hy lei sy eie lewe en kies self die mense met wie hy dit deel. Johan is baie onafhanklik." Dit klink soos 'n verdediging, selfs 'n aanprysing. Sy begin dan weer die wasgoed opvou, lakens wat wyd uitwaai in die wind, en ek gaan na haar toe en neem een end van die laken om haar te help.

„Ek sien dat hy na die kaarte kyk, ek weet dat hy een of ander plan het, maar ek weet nie wát nie. Hy sê vir my niks nie, ek kan hom niks vra nie, maar ek moet tog weet." Haar gesig vertrek soos dié van 'n kind wat probeer om nie te huil nie, en ek wil haar help, maar kan niks meer doen nie as om saam met haar die laken op te vou, oor en dwars totdat ons teenoor mekaar te staan kom.

„Gaan weg," sê sy; „gaan weg hiervandaan."

„Sal dit enigiets oplos?" vra ek.
„Dit sal weer wees soos vroeër."
„Glo jy dit?"
Haar gesig bly vertrokke, en dan gaan sit sy en vryf met haar hand oor haar oë. „We waren samen," sê sy skielik in Nederlands; „het was mogelijk gelukkig te zijn, ik kon nog geloven aan ons geluk."
In al die weke dat ek op die eiland is, het Hilde nooit met my Nederlands gepraat nie: die taal het iets gebly wat sy hou vir die tye wanneer sy meen dat sy alleen is met Julien, iets so persoonliks en intiems dat dit aan geen buitestaander blootgestel kan word nie. Nou spreek sy my egter in Nederlands aan.
„En als ik ging," vra ek, „zouden jullie kunnen voortgaan alsof er niets veranderd was?"
Ek kniel langs haar op die terras waar sy gaan sit het en kyk na haar hande op haar skoot en die swaar, breë trouring wat sy nooit afhaal nie.
„Al wat ek ooit wou hê, is om met iemand saam te wees, om iemand se lewe te mag deel. Daardie tyd met Elsa in Parys, die mooi tyd, en daarna die jare met Johan — ek het nog nooit meer gevra as dat dit so mag aangaan nie. Nou kyk hy na my asof ek 'n vreemdeling is."
„Sal dit anders word as ek weggaan of sou dit anders gewees het as ek nooit gekom het nie? Dink jy dat hierdie dinge sonder my nooit sou gebeur het nie?"
„Daar was niks verkeerd met ons lewe saam nie!" verweer sy vinnig, maar dan hoor ons voetstappe op die paadjie na die huis en ons staan op met 'n byna skuldige beweging. Vir 'n oomblik probeer Hilde haar emosie onderdruk, en dan draai sy om en vlug in die huis.
Dit is Elsa wat ons gesprek onderbreek het. Ek gaan op die rand van die terras sit, en sy bly doelloos ronddwaal, kyk na die boeke wat rondlê, tel ou koerante op en sit hulle weer neer, ondersoek die horison met Johan se verkyker, en kan nie tot rus kom nie. Sy kyk in die boek wat ek op die diwan laat lê het en glimlag: dit is haar tweede roman, wat ek van Hilde geleen het, maar waarmee ek nog nie verder gekom het as die eerste vier of vyf bladsye nie. Elke keer het ek dit weer in 'n ledige oomblik opgeneem, dieselfde paragraaf vir die soveelste keer herlees, en opnuut gevoel hoe my belangstelling wegkwyn in die digte, ondeurdringbare vlegwerk van woorde en beelde. Anonieme mense kom kamers binne en gaan weer uit, daar word gepraat en niks gesê nie; moeisaam begin ek die paragraaf weer, en laat dan die boek sak, knoop 'n onsamehangende gesprek aan met Johan, begin met Julien speel, of sit doelloos, soos nou, en uitkyk na die see.
Hilde bly in die huis, Elsa bly buite ronddwaal; Johan kom nie terug van die hawe waar hy ná die ontbyt gegaan het om vis te koop nie.
„Het jy Johan gesien?" vra ek vir Elsa.
„Nee," sê sy. „Gaan soek hom."
Ek weet nie hoe ek die woorde moet opvat nie, as voorstel of opdrag,

maar daar is ook geen rede waarom ek hier sou bly sit nie, en dan stap ek af met die voetpaadjie na die grootpad en met die grootpad na die hawe waar ek die laaste mense teëkom wat teruggaan huis toe van die daaglikse verkoop by die vissersbote. Johan is nie tussen hulle nie.

„*Fílos*?" vra ek 'n groepie mans by die hawe en probeer verdere geskikte woorde onthou; „*fílos moe?*" voeg ek minder seker by, maar hulle skud net hul koppe en gaan voort met hul gesprek. Langs die kaai kom die wind aangewaai van die oop see. Dan sien ek in die skadu van die afdak voor die kafee die ou man van die huis agter die heuwel alleen aan 'n tafeltjie met sy kierie in sy hand, 'n glas langs hom; hy herken my, en roep dan en wink na my. Stadig gaan ek na hom toe, onwillig om in een of ander lang, onverstaanbare gesprek verwikkeld te raak. „*Fílos moe?*" herhaal ek al op 'n afstand, maar hy strek sy hand uit en trek my na hom toe, bly dat 'n bekende die kring van sy eensaamheid betree het, sy hand op my skouer, sodat ek moet buk waar ek voor hom staan. Ek onthou die woord vir vis: „*Psári*," sê ek, en wys na die hawe terwyl ek probeer beduie dat Johan kom vis koop het en dat ek hom nou soek.

Die ou man maak 'n veragtende gebaar in die rigting van die vissers, en begin dan glimlaggend sy kop skud. „*Xénos*," verstaan ek, „vreemdeling", en „*fílos*": hy skud sy kop oor die onbegryplike gewoontes van buitelanders, vermoed ek, en ek probeer sy gebare en stemwendinge interpreteer. Hulle is eienaardige mense, vertel hy my blykbaar, wat rusteloos op die eiland bly ronddwaal, om en om — dieselfde klanke, dieselfde woorde word herhaal. My vriend, byvoorbeeld — is dit wat hy vir my sê? — het nou ook weer so doelloos weggedwaal langs die kranse anderkant die hawe; of dit is in elk geval die verklaring wat ek gee aan die manier waarop hy in daardie rigting wys. Voldaan bly hy my aankyk. Waarskynlik verwag hy dat ek hom iets sal aanbied om te drink, dink ek, en sit met 'n vormelike buiging 'n geldstuk op die tafel langs hom neer. Ewe vormelik buig hy terug, kap met sy glas op die tafel, en drink dit uit.

Ek het niks verstaan van wat hy my vertel het nie, maar ten slotte is dit ook nie onmoontlik dat Johan langs die kranse gaan stap het nie, en as ek hom volg, sal ek hom nog kan inhaal. Ek klim die hoogte bo die hawe uit, oor die muurtjie agter die wit dorpskerk, en volg dan die paadjie al langs die kranse, waar die golwe ver onderkant oor die helder, verlate strandjies uitspoel.

Een Sondag het ek hier gestap, onthou ek, een middag op 'n ure lange wandeling deur wingerde en oor strande met die son in my oë, en nou volg ek die pad terug — oor die duine, die see aan my regterhand, en af na die strand waar Johan knielend in die skadu van die rotse in die sand sit en teken met 'n stokkie, so vanselfsprekend asof ons gereël het om mekaar hier te ontmoet.

Dieselfde patrone, dieselfde beelde en klanke word herhaal; die herinnering aan daardie maande op die eiland bly een van 'n eindelose somer, van wit strande wat mekaar eindeloos opvolg, die een na die ander, en die eindelose gespoel van golwe aan die kus. Ek kom langs die helling van die duine af en sien Johan wat daar kniel langs die see; ek kom langs die helling van die duine af waar die los sand onder my voete weggly, sodat hy omdraai en in my rigting kyk waar hy besig is om groot, geheime patrone in die sand te teken met 'n stokkie.

„Ek het gehoop dat jy sal kom," sê hy.

Ek gaan in die skadu langs hom lê, my kop op my arm. „Ek het na die hawe gegaan, maar jy was al weg gewees. Die ou man het vir my probeer verduidelik waar jy is, en ek het hom blykbaar tog verstaan."

„Ek het geweet dat jy sal kom," sê hy.

„Wat teken jy?"

„Ek sit sommer beelde en skets. Sand is barmhartiger as papier of doek."

„Kom die besieling weer?"

„Ek weet nie, dalk gebeur daar iets. Dis in elk geval tyd dat daar iets gebeur." Hy vee die patrone ongeduldig dood met sy hand.

„Jy't gesê dat jou werk nie vir jou belangrik is nie, dat dit net 'n plaasvervanger is vir ander dinge. Maar dis tóg deel van jou."

„Moontlik. Jy kan neerhalend daaroor praat en dit kleineer en verwens, maar jy weet dat dit nog altyd daar sal wees as jy die dag lus voel om daarna terug te kom."

„Nou kom jy terug."

Hy haal sy skouers op. „Ek het vanoggend sommer net koers gekies om alleen te wees en te dink."

„Dan steur ek jou."

„Ek het gehoop dat jy sal kom," herhaal hy terwyl hy na die gladgestrykte sand voor hom kyk, en dan lag hy weer. „Ek moes vis gekoop het en ek het nie."

„Elsa het by die huis rondgedwaal, blykbaar is sy in 'n slegte stemming, toe het ek maar padgegee."

„Elsa weet geen raad met haarself nie. Of dalk weet sy maar net te goed raad, dalk is dít haar probleem, ons heldersiende vriendin."

„Hilde is ongelukkig," sê ek.

„Ja."

„Wat gaan jy daaraan doen?"

„Wat móét ek daaraan doen? Ek weet dat sy ongelukkig is met my, en ek weet dat sy sonder my net so ongelukkig sou wees."

Sy kop is gebuk terwyl hy weer sy onherkenbare patrone in die sand begin trek en sy hare val oor sy gesig. „Ek wil niemand ongelukkig maak nie," sê hy; „ek wil self nie ongelukkig wees nie. Maar dis onvermydelik, alles is 'n deurmekaarspul, alles word verknoei, alles misluk." Sy aandag is volledig by wat hy doen. „Ek sal weer skilder," sê hy dan, asof dit 'n voortsetting is van sy vorige woorde. „Vandag of môre of oormôre, ek weet nie wanneer nie. En ek sal doeke verknoei en doeke stukkend trap van frustrasie en die kritici sal duisend-en-een foute ontdek. Maar daar sal iéts wees wat eg is, iets wat goed is, en al die ander sal nie saak maak nie. Dan is alles die moeite werd." Hy lag saggies by homself terwyl hy daaraan dink.

Met my kop op my arm lê ek na hom en kyk, hoe hy 'n lyn wat hy in die sand getrek het, ongeduldig wegvee en oorteken. Dan staan ek op en stap na die see terwyl hy knielend sit en teken in die sand. Hy kyk nie om nie, verdiep in sy werk.

In hierdie tyd het Johan sy werkkamer begin opruim: in die verfbesmeerde klere wat hy altyd dra wanneer hy skilder, het hy alles wat hy in die loop van maande daar vergader het, uitgedra op die terras, sonder om iemand se hulp te vra, fronsend besig, met 'n sigaret wat los tussen sy lippe hang. Hilde het geen beswaar gemaak oor die manier waarop hy alles oor die terras uitsprei nie, en Julien het tussen die ou lappe, die leë bottels, die planke en doeke en portefeuljes rondgekrap. Toe het Johan met 'n byna ontstellende ywer begin weggooi wat hy nie meer wil hê nie: hy het sy hemp uitgetrek en die hele dag in die son gestaan terwyl hy die afgedankte rommel in dose druk en afgekeurde doeke met sy voet stukkend trap om hulle te vernietig. Hilde kyk op by die geknars van hout en linne, maar sy probeer hom nie verhinder nie.

Wanneer die aand koel word, begin ek volgens gewoonte die tuin natgooi, sonder dat Johan van sy werk opkyk of aanbied om my te help.

„Dis nouliks die moeite werd," merk Elsa op. „Daar groei amper niks meer nie."

„Die oleanders nog."

„Hulle kan wel 'n tydjie sonder water klaarkom."

„Ek hou van hierdie werk," sê ek, en steur my nie verder aan haar nie. Julien het die opruiming op die terras verlaat, aangetrek deur die geluid van die water, en kom met oorgawe in die modder rondplas waar ek natgegooi het terwyl hy brabbelend met my gesels.

„Die grond is droog," sê Elsa. „Ek wonder hoeveel water daar nog in die put is."

„Nie meer so baie nie. Mens moet die emmer diep laat sak."

„Dis tyd dat dit weer begin reën. Ek het gister met boere by 'n kafee gesels, en hulle sê dat dit nou te droog word."

Ons staan en kyk hoe die water in die aarde wegsink. Julien kom langs my staan en neem my hand beet terwyl hy saam met ons die tuin betrag. Ek is klaar: ek sit die emmer neer en tel hom op.

„Pas op," sê Elsa, „hy's die ene modder."

„Dit maak nie saak nie, my klere is tog vuil." Met 'n modderhand raak hy my gesig aan, en Elsa lag.

Johan staan met sy rug na ons toe op die terras na een of ander doek en kyk, en Hilde het na binne gegaan. „Dis amper bedtyd," sê ek vir Julien, en hy lag vir my, geboei deur die beweging van my mond.

„Hy sal eers gebad moet word," sê Elsa, en hy kyk haar aan met 'n donker, vyandige blik terwyl sy praat.

„Hy hou nie van jou nie," sê ek.

„Ook maar goed. Ek is nie so lief vir kinders nie."

„Kom," sê ek vir Julien, „dan gaan ons 'n entjie stap." Ek aarsel om te kyk of Elsa wil saamkom of agterbly. „Kan ek saamkom?" vra sy egter, en ons stap langs die pad bokant die see in die koelheid en wasige sonlig, verby die wandelende groepies somerbesoekers wat al hoe minder begin word, die middeljarige egpare saam, die meisies in helder rokke, die seuns met die arms om mekaar se skouers, mense wat ons glimlaggend groet in die verbygaan.

„Ons is vir hulle seker 'n vertederende groepie," sê Elsa. „'n Jonggetroude paartjie met hul eerstelingetjie."

„Vind jy dit erg?"

„O, hulle kan dink wat hulle wil. My vryheid bly onaangetas."

„Is jy dan so gesteld op jou vryheid?" vra ek.

„Dis goed om te kan kom en gaan soos jy wil, om heeltemal onafhanklik te wees om beslissings te doen..."

„Blý dit goed?"

„Ek weet nie, jy kan nie altyd kies nie, jy pas jou maar aan." Ek kyk na haar waar ek langs haar stap met Julien op my arm, en dan lag sy kortaf. „Ons lyk asof ons vir Hilde en Johan probeer naboots," sê sy. „Soms wanneer ek hulle so saam sien met Julien, voel ek afgunstig."

„Ja," sê ek, „ek weet."

„Dit lyk so mooi, die samesyn. Soms ís dit selfs mooi — ek onthou nog toe ek met Hilde in Parys gebly het, twee meisies wat mekaar toevallig êrens leer ken het, saam op 'n solderkamer met 'n kat en 'n paar potplante. Dit was werklik 'n mooi tyd gewees daardie."

„Het julle lank saamgewoon?"

„Net 'n paar maande. Ek het in Parys gewerk en Hilde het daar gestudeer, dit was 'n tydelike oplossing, en toe sy Johan ontmoet, het sy by hóm ingetrek en ek het weggegaan, Kanada toe gegaan. Maar ons het mekaar goed leer ken in daardie maande, ek het vir Hilde goed leer ken."

„Voordat jy gekom het, het sy oor jou gepraat asof jy 'n jeugvriendin is, 'n boesemvriendin."

„Het sy? Ek het gedink dat dit vir haar miskien minder beteken het, dis waarom ek huiwerig was om hierheen te kom. Soms is dit beter om die verlede maar aan homself oor te laat en nie óm te kyk nie. Ek weet nie, miskien sou dit tóg beter gewees het as ek nie gekom het nie."

„Hilde is bly dat jy hier is."

„As ek nie gekom het nie, sou sy dit oorlewe het."

Ons het die hoogte bokant die see bereik, die punt waar ons gewoonlik omdraai wanneer ons saans gaan stap, en ons bly 'n rukkie hier staan voordat ons terugkeer. Dit het nooit vantevore gebeur dat ek en Elsa so maklik en vertroulik met mekaar gesels nie, maar ons het begin om gewoond te raak aan mekaar, en blykbaar het Elsa vanaand ook behoefte om te gesels, of in elk geval behoefte om hardop te praat en iets vir haarself uit te dink en te oorweeg.

„Hulle moes nooit getrou het nie," sê sy dan nadenkend. „Ek het dit van die begin af geweet, maar hulle was jonk gewees en verlief, wie was ék om hulle te probeer keer?"

Julien het vaak begin word en laat sy kop langsaam op my skouer sak.

„Het hulle mekaar lank geken voordat hulle getroud is?" vra ek.

„Hulle het mekaar 'n paar maande geken toe hulle gaan saamwoon, maar hulle het al gou besluit om te trou en padgegee Holland toe. Hilde het een oggend vir my kom tot siens sê, een oggend vroeg toe ek nog in die bed lê, so 'n vaal, triestige herfsoggend, haar gesig was nat gewees van die reën. Hulle het sommer skielik besluit om Amsterdam toe te gaan om te trou, en sy was so haastig en opgewonde sy wou nie eers binnekom nie. Niemand het dit eintlik verwag nie, nie eers Cynthia nie. Ek glo nie sy het Johan ooit daarvoor vergewe nie."

Sy draai weer om; ek volg haar en stap saam met haar terug huis toe.

„Was daar dan iets tussen hulle gewees?" vra ek.

„Johan en Cynthia?" vra sy ingedagte. „O nee, glad nie, hulle verhouding was hel-uit platonies. Maar jy ken mos vir Cynthia, nè?" voeg sy by.

„Sy't voorgestel dat ek hierheen kom."

„Ja," sê Elsa, en keer dan na my vraag terug. „Johan en Cynthia was net baie innige vriende gewees, hulle't mekaar goed verstaan. Sy was sy biegmoeder, sy raadgewer, sy steun en toeverlaat..."

„Wat het jy teen haar?" vra ek.

„Klink ek dan so bitsig wanneer ek oor haar praat? Ek weet nie, Cynthia is die soort mens van wie mans hou eerder as vroue. As jy haar vriend is, is daar niks wat sy nie vir jou sal doen nie — lieg en bedrieg en konkel en ander mense se lewens vernietig as dit nodig is om jou te help. Maar van mý het sy nou eenmaal nie gehou nie."

„Waarom het sy voorgestel dat ek hierheen kom?" vra ek.

„Hoe dink jy moet ék weet?"

„Jou heldersiendheid..."

„My gesonde verstand. Om Johan se ontwil, natuurlik. Om hom te red van hierdie eiland of van homself — die hemel weet langs watter Keltiese kronkelgange Cynthia se gedagtes beweeg."

Ek is stil. Sy stap 'n entjie voor my uit en ek volg stadiger met Julien op my arm. „En het ek daarin geslaag?" vra ek.

„Wanneer gaan jy weg?"

„Het ek geslaag?"

„Ek vra wanneer jy weggaan."

„Johan wil hê dat ons twee saam Noord-Afrika toe gaan, dan kan Hilde vir Julien terugneem Nederland toe." Ek sê dit sonder om na te dink, en terwyl ek praat, besef ek reeds dat ek miskien liewer moes stilgebly het.

„Dink jy Hilde sal gaan?" vra Elsa dan.

„Johan dink so."

„Johan glo wat hy wíl glo — mans is nou eenmaal moedswillig."

„Sy is tog nie gelukkig nie."

„Hilde sal nooit gelukkig wees nie, want sy het hom lief, en liefde maak seer, wát ook al gebeur." Sy maak 'n wrang gebaar. „Weet jy, vroeër het ek nog gedink dat liefde en geluk saamgaan, maar dis tog nie so nie; geluk het niks daarmee te doen nie. Dit gaan dieper as geluk."

„Hilde verlang na Nederland," sê ek.

„Hý is vir haar die belangrikste, hy en die kind en hul lewe saam, wat ook al daarmee verkeerd is. Sy teer op haar liefde, sy dra dit met haar saam soos padkos." Sy praat heftig en bitter. „Kyk, daar staan sy al en kyk of ons vir Julien terugbring." Ons kan die huis weer sien, waar Hilde op die terras staan en uitkyk langs die pad in haar los, helder-geblomde rok. „Hoe dink jy sal sy sonder hom lewe?" vra Elsa. „Hulle hoort saam, weet jy; óns twee moet liewer padgee."

Ons stap die steilte op na die huis, maar dan gaan sy staan, en haar stem is laag en sag en dringend. „Kom saam met my," sê sy.

„Waarheen?"

„Piréus, die Peleponnésos, Macedonië, Turkye — dit maak nie saak nie. Die tyd begin nou min raak, ons moet begin planne maak. Kom jy saam?"

„Nee," sê ek. Ek staan met my rug na die ondergaande son en sy moet haar oë op 'n skrefie trek om teen die lig in na my te kyk. „Waarom wil jy my dan so graag hier weg kry?" vra ek.

„Miskien wil ek maar net geselskap hê. Miskien wil ek nie meer alleen reis nie."

„Miskien. Wat nog?"

„Hilde en Johan hoort bymekaar," sê sy dan weer. „Ons is buite-staanders, ek en jy, en ons sal dit altyd bly, maak nie saak wat nie. Dis tyd dat ons padgee."

Op die terras bokant ons staan Hilde egter en wag, en ons moet verder stap: sy neem die slaperige kind van my oor met woordelose verwyt. Op die terras lê die oorblyfsels van Johan se opruiming uitge-strooi.

„Wil jy nog Noord-Afrika toe gaan?" vra ek vir Johan.

„Ek het tog vir jou gesê ek wil."

„Wanneer dan?"

Ons is op die strand, en hy staan klippies en uitgooi in die see terwyl ek praat, sodat ek nouliks weet of hy luister. „Elsa dink nie ons behoort te gaan nie," voeg ek by.

„Wat weet Elsa daarvan?"

„Ek het haar daarvan vertel. Sy wil hê dat ek saam met háár weggaan."

„Waarskynlik net om mý te probeer dwarsboom."

„Of om Hilde se ontwil."

„Miskien; vir Elsa is Hilde natuurlik ook al wat saak maak. Sy sien alles uit Hilde se standpunt."

„Hilde se standpunt moet darem ook in ag geneem word," sê ek terwyl hy voortgaan met klippies gooi, vér uit na die see.

„Glo jy dan nie dat ek Noord-Afrika toe sal gaan met jou nie?" vra hy.

„Nee."

„Hoekom nie?"

„Omdat ek nie glo dat dit reg is om te veel te vra of te verwag nie. Jy moet leer om met min tevrede te wees."

„Ek vra álles, ek eis álles van die lewe."

„In die praktyk kry jy gewoonlik minder, dan moet jy dit maar so aanvaar."

Hy skud sy kop. Saam stap ons verder langs die strand aan die voet van die kranse onderkant die huis. „Ek het verlede nag oor jou gedroom," sê Johan. „Of eintlik nie regtig oor jóú nie. Ons het êrens by die water gebly, nie by die see nie, want dit was modderwater, okerkleurige water — dit onthou ek nog duidelik. Jy was nie by die huis nie en ek het gaan slaap, en in die nag toe jy terugkom, het jy vir my 'n brief geskryf en dit by my gelaat sonder om my wakker te maak. Toe dit lig word, het ek opgestaan en gesien hoe die water besig is om buite die vensters te styg, om oor die vensterbanke te styg. Ek het jou brief gevind en gaan sit om dit te lees, maar ek kon nie uitmaak wat daar staan nie."

„Jy onthou dit nog goed," sê ek.

„Ek het daarvan wakker geword en kon nie weer slaap nie."

„Het dit jou dan gehinder?"

„Dit was so duidelik gewees. Ek wil dit skilder," sê hy. „Ek wil die okerkleurige water skilder wat besig is om te styg."

Hy is nog nie klaar met die opruim van sy werkkamer nie, maar wanneer ek daar binnegaan, staan hy voor die esel met 'n kwas in sy hand, alhoewel daar op die doek nog net vae, uiteenlopende lyne en vlakke kleur is. Dit is duidelik dat hy besig is en geen geselskap soek nie, en ek laat hom roerloos en ingedagte daar staan, fronsend terwyl hy konsentreer.

Hilde het met Julien strand toe gegaan en by die huis is dit stil; net in die verte hoor ek hoe mense êrens langs die see na mekaar roep, en die gelag van kinders. Dit is seker van die laaste oorblywende somerbesoekers wat hul vakansie vir nog 'n paar dae uitrek voordat hulle die koffers pak, die strandhuis sluit en terugkeer na die vasteland. Binnekort sal ons die enigste buitemense wees wat oorbly, want die seisoen is verby, en met 'n effense verbasing merk ek van dag tot dag 'n verandering in die tekstuur van die sonlig, die felheid van die kleure en die skaduval, iets nouliks voelbaars en moeilik omskryfbaars in die lug, iets wat dui op herfs; asof dit nie vanselfsprekend is dat die somer sal eindig nie, selfs die helder somer van die suide, en dat sonlig aangetas en skaduval verander sal word. 'n Ligte verkleuring vind reeds in wingerde en bome plaas, 'n ligte karteling van goud langs die blare, en alles neig onafwendbaar na die najaar. Die sonlig val skuins oor die hele Europa en waaiende blare bedek die vasteland, drywende blare op die plooiende, glansende vlak van die grag, vallende blare wat in hul wenteling langs voorhoof of wang verbyskuur, ritselende blare wat in skielike windvlae van die straat opgedwarrel word. Die dae loop leeg en die helder lug word betrokke; daar is net die grou, vuil strate, grys mense in vaal klere, ou, waaiende papier en langsame verkeer. Dit is herfs, en op die eilande het daar geen besoekers oorgebly nie.

Die lamp is opgehang aan die prieel, en ons bly ná die aandete aan tafel sit terwyl ons ons wyn drink.

„Ek gaan Maandag weg," sê Elsa, maar niemand reageer nie. Ons hoor hoe die motte teen die lampglas fladder.

„Waarheen gaan jy?" vra Johan sonder belangstelling in sy stem.

„Piréus, en dan maar koers kies met die eerste boot wat verder reis."

„Na ander eilande?"

„Of na 'n ander land, dit maak nie eintlik saak nie. Ek wil net verder reis."

„Ja," sê Johan, „dit het tyd geword om verder te reis. Ruud het ook al begin plan maak om te gaan."

„Waarheen gaan jy?" vra Hilde my ná 'n rukkie om die stilte te verbreek, maar daar is ewe min belangstelling in haar stem as in Johan s'n netnou.

„Ek weet nog nie seker nie. In elk geval ook eers Piréus toe."

„Hy wil Noord-Afrika toe gaan," sê Johan.

„Julle sal dan weer alleen wees," merk Elsa op. „Of is dit vir julle 'n verligting?"

Hilde maak 'n ontwykende gebaar, maar sê niks nie.

„Ek weet nie of dit sin het om langer hier te bly nie," sê Johan. „Toe ons hier gekom het, was dit lente, maar 'n winter op die eiland lyk nie vir my so aantreklik nie."

„Wat wil jy dan doen?" vra Hilde baie stil.

„Ek weet nie; daar is nog genoeg tyd om daaroor te praat." Hy staan op en stap weg in die donker van die terras.

„Het jy al besluit wanneer jy gaan?" vra Elsa my. „Sal ons saam reis tot by Piréus?"

Ek hoor Johan nie in die donker agter my nie. „Ek weet nie, Maandag is al so gou."

„Ek kan 'n paar dae uitstel."

„Ek wou altyd Noord-Afrika toe gaan," sê Johan uit die donker, en Hilde draai om.

„Ons kan gaan, daar is tog seker skepe soontoe van Piréus. Ons het nie soveel bagasie dat dit moeilik sal wees nie."

Haar stem sterf weg en ons wag rondom die tafel dat Johan na ons moet terugkom in die kring van die lig. Waar hy dan agter Hilde se stoel kom staan, raak hy vir 'n oomblik haar skouer aan, en sy gryp sy hand vas met 'n skielike skugter beweging, maar dan trek hy sy vingers los van hare. „Ek het gedink ek sal saam met Ruud gaan," sê hy.

„Nee," sê Hilde vinnig, op dieselfde toon, asof dit 'n voortsetting is van sy woorde.

„Jy kan met Julien teruggaan Amsterdam toe vir die winter, dit sal die maklikste wees..."

„Nee," sê sy weer sonder om na hom om te kyk. „Ek wil by jou wees; ek wil by jou bly, niks anders nie."

Ná 'n oomblik neem Johan die wynkan op om weer vir hom te skink. „Jy's nou onredelik," sê hy.

„Ek praat nie met my rede nie, ek praat met my gevoel."

Ek wil opstaan, maar Johan stoot my terug in my stoel. „Bly sit," sê hy. „Ons bespreek net ons reisplanne."

„Ons kan Noord-Afrika toe gaan," sê Hilde. „Ons kan Amsterdam toe gaan, ons kan hier bly. Ons kan teruggaan Suid-Afrika toe, dit maak nie vir my saak nie. Maar ek wil nie sonder jóú gaan nie."

„En as ék dit dan anders wil hê?"

„Waarom sou jy? Ons hoort tog saam, nie waar nie? Nie waar nie?" herhaal sy. „Waarom sê jy niks nie?"

„Omdat daar niks meer is om te sê nie."

„Vroeër was dit nie so nie."

„Vróéër..."

„Jy praat nie meer met my nie, jy vertel my niks nie, jy maak planne waarvan ek niks weet nie..."

„Hilde," sê Elsa saggies en beweeg haar hand op die tafelblad, maar Hilde kyk nie na haar nie.

„Dit gebeur," sê Johan, „sulke dinge gebeur. Mense verander met verloop van tyd."

„Vir mý het daar niks verander nie."

„Vir mý wel."

Hulle is lank stil, en Elsa en ek bly roerloos by die tafel sit, ongemaklike toehoorders van hul gesprek.

„Daar het niks verander nie," herhaal Hilde afgemete. „Wanneer Elsa en Ruud weg is, sal alles weer dieselfde wees."

„Niks sal ooit weer dieselfde wees nie, Hilde. Jy kan nie twee keer in dieselfde rivier swem nie — het jy nooit daardie wysheid gehoor nie?"

„Daar het níks verander nie."

„Dis te laat vir so 'n gesprek," onderbreek Elsa hulle dan. „Ons kan liewer gaan slaap."

„Ja, eintlik is dit veel te laat," sê Johan. „Hierdie dinge moes al lankal gesê gewees het." Elsa staan op om te gaan en Hilde volg haar voorbeeld. „Bly sit," sê hy egter weer. „Ons moet nog álles bespreek."

„Daar is niks om te bespreek nie," sê Elsa koel. „Alles is al gereël, ons kan ons maar net daarby neerlê."

Johan het voor haar gaan staan, sodat sy nie kan verbykom nie. „Ek gaan slaap," sê sy en stoot hom opsy, maar hy gryp haar arm beet terwyl sy by hom verbydruk, en wanneer sy haar losruk, slaan sy met haar hand Hilde se glas van die tafel sodat dit aan skerwe spat op die klippe van die terras.

„Johan!" roep Hilde, en ek kan sien dat sy bewe. „Johan, wat doen jy?"

„Elsa moes haar met haar eie sake bemoei het. Sy kan nou nie meer terugtrek nie."

„Ek gaan Maandag Piréus toe," sê Elsa. „Miskien moes ek in die eerste plek nie gekom het nie, dalk was dit beter gewees, maar ek doen wat ek kan."

„Waarom moet jy jou verwyt?" vra Hilde. „Jy het geen skuld aan enigiets wat verkeerd gegaan het nie."

Elsa haal haar skouers op. „In elk geval," sê sy, „ek gaan," en dan aarsel sy terwyl sy na my kyk. „Ek het jou al 'n heel paar keer gevra of jy saamkom. Dis nou die laaste keer."

„Ruud het al gesê hy gaan," antwoord Hilde namens my. „Daar is genoeg tyd om te besluit wat óns sal doen, Johan. Ons het die huis tog vir 'n jaar gehuur."

Johan draai stadig om na haar toe. „Wil jy niks erken nie?" vra hy. „Wil jy my dwing om nog duideliker te praat?"

„Dit is jý wat hierdie gesprek op ons afdwing, dit is jý wat my dwing om dinge te sê, om voor Elsa en Ruud dinge te sê, wat ek nie wil sê nie. Al wat ek erken, is dat ek jou liefhet, dit is al wat ek weet, net dit." Sy praat vinnig en onduidelik en struikel oor die woorde.

„Jy het sleg gekies."

„Daar was nooit 'n keuse nie. Dit is net daar, 'n feit wat aanvaar moet word."

„En wil jy dan dat jou liefde 'n kerker moet wees waarin ons saam gevange sit?"

„Vir my is dit niks anders nie," sê sy sag.

Dit is mý beurt om te praat. „Ek gaan met Elsa saam," sê ek ná 'n tyd.

„Nee," sê Johan.
„Dis die beste," sê Elsa.
„Jy het gou van mening verander," onderbreek hy haar. „Jy was nie altyd so begaan oor Hilde en my nie — toe ons bymekaar gaan woon het, het jy alles in jou vermoë gedoen om ons weer uitmekaar uit te kry, moenie dink dat ek nie daarvan weet nie. Toe Hilde jou kom vertel dat ons gaan trou, het jy haar nog probeer ompraat."
„Ek het gedink dat julle iets onverstandigs doen."
„En jy had gelyk; jy het hierheen gekom en gou genoeg besef dat jy gelyk had. En jy het dadelik weer begin probeer om Hilde vir jou op te eis soos vroeër, nie waar nie, jy wat nou skielik wil padgee om die heilige eenheid van ons huwelik te bewaar."
„Jy oordrywe."
„Ek oordrywe niks nie. Ek het gesien hoe jy Hilde volg en beslag op haar lê, hoe jy haar afsonder in julle eie wêreldjie van vroeër waar ek buite staan. Wil jy dit ontken?"
„Daardie tyd saam met Hilde was die mooiste tyd in my lewe gewees, die maande dat ons saam was, dat ons mekaar se lewe gedeel het. Ek het daardie tyd probeer herwin, dis al."
„En jy het daarin geslaag, nie waar nie?"
Stadig skud sy haar kop. „Soms het dit so gelyk, vir 'n paar uur miskien, maar nie meer nie. Soms het ek nog vir 'n oomblik gedink dat alles weer kan wees soos vroeër, maar ek het my vergis. Jy kan niks herhaal nie, die lewe bestaan uit eenmalighede. Net wanneer ek gedink het alles is weer soos vroeër, het ek my vasgeloop teen die werklikheid, teen die onverbiddelikheid van julle samesyn. Hilde het jou werklik lief, weet jy, Johan? As jy haar eie woorde nie glo nie, sal dié van 'n buitestaander miskien 'n groter indruk op jou maak. Ek kan niks anders doen nie as om die stryd gewonne te gee en die feit te erken, ek wat julle huwelik teëgewerk het met al die middele tot my beskikking, soos jy ook gesê het."
„Dit moet vir jou bitter wees," sê Johan.
„O, dis nie moeilik om die onvermydelike te aanvaar nie. Net om daarmee saam te lewe."
Hilde stryk oor haar gesig, maar in die skadu kan ek nie sien of sy huil nie. „Dit spyt my, Hilde," sê Elsa. „Ek moes tevrede gewees het met die feit dat dit mooi was, nie probeer om 'n herhaling daarvan te dwing nie, maar mens handel soms met jou gevoel in plaas van jou rede — jy het netnou self ook so iets gesê, nie waar nie? Ja, en dat dit nie 'n kwessie van keuse is nie — my gevoelens vir jou, my gevóél vir jou, was nooit 'n keuse nie. Vir mý was dit ook onvermydelik."
„Sit ons dan almal in dieselfde doodloopstraatjie?" vra Johan, en Elsa glimlag afgetrokke.
„Nee, elkeen in sy eie."
„En wat maak mens nou, orakel?"

Die gesprek het weer iets persoonliks geword, 'n rustige uitruil van woorde tussen hulle twee, soos daardie aand van die kaartlêery.

„Omdraai en terugstap asof daar niks gebeur het nie."

„Die aftog blaas?"

„Terugstap en verder stap en kyk waar jy uitkom."

„Nee," sê Johan.

„Daar is geen alternatief nie, boetie," sê Elsa. „Ek en Ruud gaan weg, julle bly agter, die lewe gaan aan."

„En wat vir 'n lewe is dit dan? Hoe dink jy moet ons daardeur kom?"

„Ek sal verder reis deur Europa totdat my geld opraak. Ruud sal waarskynlik êrens vir hom gaan nes skop — hy hou tog nie van ronddwaal nie. Jý sal skilder en tentoonstellings hou, julle sal saam wees en sien hoe Julien grootword, 'n lewe deel..."

„En waarom veroordeel jy ons dan tot so 'n samesyn?"

„Plig, en liefde, of albei. Dalk is dit dieselfde."

„Hilde se liefde vir my? En moet ek dan daaronder geboë gaan soos onder 'n las?"

„As dit seermaak, dan is dit liefde, dit het die lewe my al lankal geleer, en elke keer word dit nog 'n slag bevestig vir geval ek vergeet. Dis 'n onfeilbare toets."

„Nee," sê Johan weer, „dis nie so nie."

„Dan is jy al een van ons wat dit nog nie uitgevind het nie. Maar wees geduldig, jy sál nog."

„Daar bestaan meer as net dit, daar is ook bevrediging en vervulling, dit weet ek self."

„Daar is oomblikke wat jy saamkry om jou te troos, niks meer nie."

Hilde lig haar kop en kyk na Johan asof sy verlore was in haar eie gedagtes en nou eers weer bewus word van ons gesprek. „Dit spyt my, Johan," sê sy. „Ek wou jou nooit ongelukkig maak nie, ek wil niks anders hê nie as jou geluk. Ek wil jou alles gee wat ek het en selfs nog meer, maar vir jou is dit 'n ondraaglike las. Waar moet ek dan daarmee heengaan, wat moet ek daarmee doen?" Sy praat binnensmonds; haar hare hang oor haar gesig en in die lamplig is haar wange nat van die trane. „Ek weet nie, ek weet nie . . . Ek het gedink dat dit so maklik is om gelukkig te wees, so eenvoudig: om by jou te wees, om Elsa se vriendskap te besit, om Ruud se vriendskap te hê, om saam te wees soos ons in die begin hier was."

„Mense is nooit eenvoudig nie, liefie," sê Elsa, maar Hilde hoor haar blykbaar nie. Sy draai weg van die tafel af en loop vas in die stoel wat agter haar staan, stamp dit om, en struikel. Verblind, waarskynlik, deur die lig van die lamp waarin sy gestaar het, aarsel sy vir 'n oomblik op die terras en stap dan vinnig die treetjies af na die tuin. Ons hoor haar sandale op die voetpaadjie, en bly daar agter rondom die tafel wat nog nie afgedek is nie. Dan draai Elsa om en volg haar in die donker in.

Johan kom sit oorkant my aan die tafel. „Waarom het jy gesê dat jy weggaan?" vra hy.

„Daar is tog niks anders te doen nie."

„Glo jy dit?"

Ek knik. „Hilde!" hoor ek Elsa êrens onderkant die huis roep, en ek kyk op.

„Daar is iets verkeerd," sê ek, maar Johan skud sy kop, en alhoewel ek bly luister, hoor ek net die geruis van die see.

„Jy drink weer te veel," sê ek.

„'n Uitweg uit die doodloopstraatjie."

„Daar is ander moontlikhede."

„Byvoorbeeld?"

„Jou werk."

„Die gedagte troos my nie op die oomblik nie."

Weer hoor ek onduidelike geroep, en hierdie keer weet ek nie of dit Elsa of Hilde se stem is en kan ek die woorde ook nie onderskei nie. „Daar is iets verkeerd," herhaal ek, maar Johan beweeg nog nie, selfs wanneer ek opstaan en by die rand van die terras gaan luister. Wat verbeel ek my en wat hoor ek werklik in die verte tussen die gespoel van die see, die geroep van nagdiertjies en die dringende, aanhoudende gekletter van die fladderende motte teen die lampglas? Stemme, en voetstappe, en los klippe en gruis wat wegrol?

„Ek gaan kyk," sê ek, en Johan antwoord nie en kom ook nie saam nie. Ná die lamplig kan ek in die donker van die tuin niks sien nie en strompel blindelings langs die paadjie af. Ek is by die grootpad wanneer ek Elsa en Hilde vind.

„Wat makeer?" vra ek, maar Elsa kyk nie eers na my nie.

„Dis tyd dat ons almal gaan slaap," sê sy kortaf. „Ons het vanaand al klaar te veel gepraat." Sy het haar arm om Hilde en hou haar vas asof sy moet verhinder dat sy ontsnap en vlug, maar Hilde laat haar voortlei terwyl sy snik soos 'n kind, sonder poging meer tot selfbeheersing. Elsa neem haar na die kamer, gee haar een of ander kalmeermiddel, bly by haar, en praat met Johan nòg met my. Ek gaan lê op my bed, skielik baie moeg, maar sonder behoefte aan slaap. Ek lê lank so sonder om selfs te dink, en dan begin ek besef hoe min tyd daar oorbly as ek en Elsa saam weggaan. Ek moet nou besluit wat ek gaan doen, dink ek, maar terwyl ek daar lê en opstaar na die prieel bokant my, raak ek aan die slaap. Wanneer ek wakker skrik, is dit stil in die huis, maar die lamp brand steeds en Johan sit nog altyd by die tafel.

Elsa het uitgevind op watter dae die skip na Piréus die eiland aandoen, hoe laat dit aankom en vertrek, en selfs waar die kantoor van die skeepsagent is waar ons ons kaartjies moet koop. Ons vertrek is vasgestel, my besittings het ek bymekaargesoek, en ek kan maar net op die diwan lê en lees in die roman wat ek met bruin papier oorgetrek het, Elsa se verhaal van mense wat kamers binnekom en weer uitgaan en gesprekke voer waarin daar geen name genoem word nie. Johan is in die werkkamer; Hilde beweeg in die huis heen en weer op sloffende sandale; Elsa het verdwyn. Wanneer Johan later na buite kom, kyk hy na my, maar sê niks nie. Anders sou ons nou gaan stap of swem, maar hy stel dit nie voor nie.

„Hoe vind jy dit?" vra hy met verwysing na die boek wat ek lees.

„Dit word interessanter; die begin het 'n bietjie swaar gelees. Maar dis beter as die eerste boek."

„Sy't een of ander literêre prys daarmee gewen, dit behoort goed te wees. Daar's in Suid-Afrika tog nie soveel pryse beskikbaar nie."

„Aan die ander kant is daar ook nie soveel skrywers wat daarvoor in aanmerking kom nie."

„Ja, seker." Hy stap rusteloos op en neer op die terras.

„Het jy gewerk?" vra Hilde hom later.

„So 'n bietjie."

„Gaan dit goed?"

„Ek het al die buitelyne van wat ek wil doen, maar dit kom moeilik."

„Wil jy koffie hê?"

„Láter. Ek is nou moeg, ek gaan niks meer doen nie."

Hulle praat oor vertroude dinge waarvoor hulle nie baie woorde nodig het nie. Johan rook die een sigaret na die ander en begin dan die tuin natgooi. Dit is al laatmiddag en ek het heeldag net op die diwan lê en lees; ek staan op en stap met die voetpaadjie af strand toe.

„Mag ek saamkom?" vra Johan.

„Natuurlik."

Daar wandel geen somerbesoekers meer langs die pad bokant die see nie, net 'n paar jong meisies, kinders uit die dorp, wat groet sonder om ons aan te kyk en skaam bly swyg totdat ons verby is.

„Het jy bedoel wat jy gisteraand gesê het?" vra Johan.

„Dat ek saam met Elsa weggaan? Ja, ek het dit bedoel."

„Ek het gedink ons twee sal saamgaan Noord-Afrika toe."

„Dis nie moontlik nie, ek het altyd geweet dat dit nie moontlik is nie. Jy het dit gister self gesien."

Ons stap langs die pad af met die son in ons oë. „Wat gaan jy doen?" vra hy dan na 'n rukkie.

„Ek gaan terug Amsterdam toe, dink ek. Ek wil tot rus kom, nes skop, soos Elsa gesê het."

„Op 'n solderkamertjie te midde van duiwe en kariljons," sê hy, half spottend, half verwytend.

„Die steil, donker trap klim en die deur agter my sluit en tot rus kom. Ek is moeg vir reis en niksdoen en nêrens tuis wees nie."

„Ek het gehoop dat jy hiér tuis voel," sê hy.

Ek kyk langs die pad af teen die lig van die ondergaande son. „Daar kom Elsa," sê ek, want ons sien haar in die verte aangestap kom, haar wit bloes helder in die skemeragtigheid. Ons het die hoogte bereik, die plek waar ons ons wandelinge beëindig en omdraai, en ons gaan sit op die muurtjie langs die pad op om op haar te wag terwyl sy nader, Elsa met stowwerige skoene en 'n serp om haar kop, bruingebrand deur die son.

„Waaroor sit julle en gesels?" vra sy wanneer sy ons bereik.

„Ons gesels nie eers meer nie. Ons sit en wag op jou."

„Is dit hoekom julle so ernstig lyk?"

Saam stap ons terug huis toe. „Ruud het oor sy planne gepraat," sê Johan. „Hy wil weer Amsterdam toe vlug."

„Daar is erger plekke om heen te vlug."

„Ek voel tuis in Amsterdam," sê ek. „Dis 'n vredige, veilige stad; en ek kan daar werk kry."

„Die erns van die lewe het hom weer ingehaal," sê Johan.

„Ja," sê Elsa, „die vakansie kom ook tot 'n einde. Jý beter gou 'n paar skilderye maak en verkoop as jy aan die lewe wil bly."

Hy lag dan. „Miskien is dit tog maar die beste om hier te bly," sê hy nadat ons 'n tyd lank verder gestap het sonder om te praat; „ek bedoel in elk geval tot die lente. Dis rustig, ek kan hier werk."

„Die erns van die lewe het jóú ook ingehaal. Ek sien daar's weer 'n slag verf aan jou hande."

Hy kyk na sy hande en vee hulle dan vinnig af aan sy broek soos hy altyd doen wanneer Hilde so 'n opmerking maak. „En jý?" vra hy. „Wanneer begin jý weer met iets?"

„Ek sal seker ook iets moet produseer as ek geld wil hê om verder te reis. As ek my hierdie winter êrens terugtrek en 'n boek maak, kan ek dalk teen die lente by een of ander uitgewer 'n voorskot uitpers sodat ek verder kan gaan."

„Ja," sê Johan dan. „Dus is alles gereël wat óns drie betref."

„Alles," bevestig Elsa.

Is dit 'n soort selfspot waarmee sy na haar werk verwys het? wonder ek. Wanneer sy daaroor praat, wat maar selde gebeur, is dit altyd op hierdie toon, en dit is dan bietjie verbasend om een van haar boeke te lees en daarin iets te ontdek wat jy nouliks verwag het. Wat sal ek dit noem? Erns, miskien; diepte, stilte, kennis van dinge wat skaars uitgedruk kan word en gestalte moet kry in wat verswyg eerder as in wat gesê word — 'n sekere wysheid, duisterheid, of pyn. Op die terras het ek verder gelees aan die roman met sy oortreksel van bruin papier, en dit het my geleidelik al hoe meer geboei. Sy het sekerder van haarself geword, en meer vertroud met haar medium en die moontlikhede wat dit haar bied. Veral het sy geleer dat die gesuggereerde meer inhou as die eksplisiete, sodat dit 'n strak, byna elliptiese boek geword het waarvan sowel verhaal as betekenis soms slegs met moeite gevolg kan word, maar terselfdertyd ook besonder suiwer en gaaf.

Het Elsa dit dan geskryf? het ek gedink en 'n bietjie verbaas opgekyk, maar sy was nie daar nie: in daardie laaste dae van ons verblyf op die eiland het sy gereeld op lang togte verdwyn sonder om te sê waarheen sy gaan. Ek kyk na die serp wat sy agtergelaat het, vasgeknoop om die rong van 'n stoel, en na die *Guide Bleu* wat op die tafel bly lê het, die band verslete; maar hierdie dinge verklaar niks nie.

Johan het in hierdie tyd weer begin werk, alhoewel hy oor die werk self niks gesê het nie en selfs op Hilde se algemene vrae ontwykend of niksseggend geantwoord het. Self het sy weer op die terras kom sit asof sy wag hou terwyl hy besig is: sy het 'n boek vasgehou, *Le Rouge et le Noir* soos altyd, maar sy het slegs af en toe omgeblaai en ná 'n tydjie heeltemal daarvan vergeet terwyl sy sit en uitstaar oor die tuin waar Julien speel en oor die see. Dan het die kind iets geroep en sy het na hom toe gegaan en saggies met hom gepraat om hom stil te hou sodat hy Johan nie sal hinder nie. Wanneer sy terugkom, het sy weer vir 'n rukkie probeer lees, maar sy het nooit daarin geslaag om haar aandag lank by die boek te bepaal nie. Ons hoor Johan in die werkkamer beweeg en sy kyk vinnig op, na die huis en na my, en dan weer weg, haar kop gebuk oor haar boek.

Ek moet nog die laaste hoofstuk lees, maar die slot is onvermydelik en die patrone van skuld en genade kan net op één manier afgerond word. Waarheen kan ek stap? wonder ek terwyl ek dit onvoltooi toemaak. Dit is nou die laaste wandelinge, die laaste kans om die plekke te besoek wat ek so goed leer ken het, maar van elke strandjie en dorpie het ek teruggedeins, asof die maat voltooi is en geen enkele herbesoek meer moontlik is nie.

Die kerkie op die berg, dink ek dan terwyl ek reeds doelloos langs die pad af stap, die wit kerkie waarheen ek een oggend alleen geklim het, en ek volg weer blindelings die koers wat ek laas gevolg het, oor klipmuurtjies en dwars deur velde waar bokke ophou wei om my na te kyk, en teen die klipperige steilte op. Hierdie keer het ek egter stadiger geklim en van tyd tot tyd bly staan, en ek het geleideliker die top bereik waar die vierkantige kapelletjie in die sonskyn skitter. Vir 'n lang tyd het ek daar bly staan en luister na die geluid van die wind terwyl ek oor die weke heen weer herinner word aan die panorama van die eiland, die uitsig oor die skitterende see en die binneland met sy dorpies en berge. Patrone word herhaal, en terwyl ek nog staan en uitkyk, weet ek al dat ek met die omdraai sonder verbasing Elsa agter my sal vind asof sy hier op my gewag het. Ons bly mekaar aankyk oor die afstand, en dan lag ons en stap na mekaar toe.

„Dit het al eerder gebeur," sê ek.

„Ek weet nie, toe jy daar staan en omkyk, had ek die gevoel dat dit tog nie so is nie, dat dit nog altyd daardie eerste keer is en dat dit nog steeds gebeur, sonder dat daar iets tussenin gekom het."

„Jy het nog my manier van bergklim gekritiseer."

„En jý het my met sigarette gelawe."

„Johan het dorp toe gegaan om inkopies te doen, en ek het later ook soontoe gegaan om hom te soek, en daar bly eet en dronk geword van die wyn."

„En daardie aand het julle twee saam kafee toe gegaan."

„Ek het daaroor gepraat om weg te gaan en hy het my gevra om te bly, langs die see op pad na die kafee."

Ek het langs haar in die skadu van die kerkie gaan sit met my rug teen die muur terwyl ons praat.

„Ek was eensaam gewees," sê Elsa. „Ek wou ook liewer maar weer weggaan; ek het daardie oggend daaroor sit en dink toe jy my hier op die berg raakloop."

„Hoekom het jy toe nie?"

„Ek weet nie." 'n Tyd lank rook sy in stilte. „Ek was ongelukkig gewees," sê sy dan, „ek was jaloers op Hilde en Johan se lewe saam, ek was jaloers op die vriendskap wat daar tussen jou en Johan ontstaan, ek was kwaad en gekwel omdat ek uitgesluit word, omdat ek uitgeslote blý..."

„Ek onthou nog — daardie aand op die terras toe ek en Johan kafee toe gaan en jy met Julien se blokke sit en speel."

„Het ek met die blokke gespeel? Dit was 'n mooi aand gewees; ek onthou hoe mooi die skemer was. Ek en Hilde het lank gewag, en toe het ons geweet dat julle nie terugkom nie. Ons het saam buite gesit terwyl dit donker word, en gesels of stil gebly, en dit was asof ek alles herwin het. Daar was nog hoop."

„Geloof, hoop en liefde," sê ek. „Kies jy nog altyd geloof?" Sy kyk my vraend aan. „Dis wat jy vir Johan gesê het."

Toe onthou sy. „O, daardie oggend op die terras toe ons weer begin baklei het. Ja, hierdie drie, maar die grootste hiervan is die geloof."

„Hoe dan so?" vra ek.

„Die hoop beskaam en die liefde beteken afstand en verlange en verlies."

„Altyd?" vra ek.

„In die praktyk gewoonlik wel, nie waar nie?"

„Ja, gewoonlik wel. Geloof waarin?" vra ek dan.

„In die sin van alles, van die beskaamde hoop en die onbevredigde liefde. Hoe sou mens kan aangaan as daar niks anders was as net kwelling en teleurstelling nie? Jy glo dat dit iets beteken, dat dit op een of ander manier nie sinloos is nie, dat dit vrug dra, in jou eie lewe of êrens anders, ek weet nie. Maar dit help jou ten minste om verder te lewe."

„Dit was vir jóú seker ook nie 'n baie aangename vakansie nie," sê ek.

„O, áángenaam... Ek was bly om Hilde weer te sien, ek is bly dat ek haar gesien het. Maar wat daar met jou gebéúr, is nie belangrik nie, net wat jy daarvan oorhou."

Ons sit baie rustig en vertroud hier en gesels, asof ons mekaar al jare lank ken. „Waarom het jy vanoggend hierheen gekom?" vra ek haar dan ná 'n rukkie.

„Die kerkie het my uitgedaag hier op sy bergtop. En die ikone is mooi, selfs al staan hulle nie in die *Guide Bleu* nie."

„Was jy binne gewees?"

„Jý dan nie?"

„Die deur was gesluit."

„Die Grieke sluit nooit hulle kerke nie. Het jy probeer inkom?"

„Nee."

Sy lag. „Is jy altyd so onprakties? Die skarniere is stukkend; jy stoot net teen die deur aan, dan val dit om. Kom, ek sal jou wys."

Ek volg haar om die hoek van die kerk en sien dat dit so is: jy druk die deur eenvoudig los uit die kosyn, en vind 'n skoon, verlate klein ruimte met 'n verkleurde ikonemuur en 'n offerblaker. Dit is baie stil hier binne en die sonlig val wasig deur die stowwerige vensters.

„Ja," sê ek, „dit is mooi."

„Ek hou van die gewoonte wat die mense hier het om net waar hulle lus voel 'n kapelletjie te bou, sommer êrens op 'n berg of in die middel van 'n wingerd. Dis 'n mooi idee, God wat wag in die wingerd..."

„Jy glo in God, nè?"

„Dit hang daarvan af wat jy met God bedoel. Ek glo in elk geval in iéts, in iémand."

„Ek wens ek kon ook, maar die geloof van my kinderjare het êrens langs pad verlore geraak."

„Daar is nog ander soorte. Geloof in die sin en die waarde van dinge, soos ek gesê het — dit help."

„Hoe gaan ek verder lewe?" vra ek. „Wat gaan ek in Amsterdam doen?"

„Jy gaan daar verder lewe," sê sy saaklik en ek weet nie of sy met my spot nie, maar haar stem is sag.

„Soms is ek bang."

„Ek ook. Maar tot by Piréus reis ons in elk geval saam."

„En Johan en Hilde dan?" vra ek.

„Ek weet nie. Jy kan net liefhê, niks meer nie. Liefde kan alles doen, sê hulle, maar tog, wanneer jy liefhet, is jy heeltemal hulpeloos en ontwapen."

Ons staan langs mekaar voor die hiërargiese rye heiliges op die ikonemuur, hul stralekranse, gewade en opgehewe hande byna tot 'n enkele dofheid vervaag deur die verwering van die tyd. „Toe Hilde van ons wegloop op die terras," sê Elsa, „toe ek agter haar aan hardloop... Ek het haar by die kranse ingehaal, op die rand van die afgrond in die donker. Ek het probeer om haar te gryp en terug te trek, om haar terug te bring huis toe, en vir 'n oomblik toe sy haar verset, was ek bang gewees dat ons saam gaan oorval."

Wie is al hierdie formele figure, hierdie ongenaakbare profete en apostels, martelare en maagde, getuies van langvergete geheimnisse? Waar die opskrifte nog sigbaar is, probeer ek die Griekse skrif ontsyfer.

„Dié ikone het nooit kunswaarde besit nie," sê Elsa. „Maar dis tog 'n mooi kerkie; ek is bly dat ek weer hierheen gekom het. Ek was al op 'n pelgrimstog na die meeste kerkies op die eiland."

Ek help haar om die deur vas te trek in die kosyn wanneer ons gaan. Sonder om iets te sê, stap ons stadig langs die berg af.

„Het jy al aan 'n nuwe boek begin?" vra ek, en Elsa skud haar kop.

„Nee, nog nie, maar ek sál een van die dae. Ek wil my nou êrens terugtrek waar daar 'n kamer is met 'n tafel en 'n stoel en 'n bed, en die mense my met rus laat om te werk. Ek sal die winter darem kan oorlewe."

„Ek het altwee jou boeke gelees," sê ek. „Ek het daarvan gehou, al klink dit ook onhandig as ek dit so sê."

Sy weet nie hoe sy hierop moet reageer nie. „Mens probeer maar," sê sy 'n bietjie ongemaklik. „Dit word nooit soos jy dit wou gehad het nie, maar op een of ander manier maak dit eintlik ook nie saak nie."

Ons stap verder. „Ek het nie verwag dat dit tot jou sal spreek nie," sê sy.

„Het jy dan ooit verwag dat ons so vriendskaplik saam sou loop en gesels, of dat ons saam op reis sou gaan?"

„Nee, dit ook nie," beken sy, en lag; maar dit is moeilik om te praat terwyl ons langs die helling van die berg afdaal. Wanneer ons weer die pad bereik en ons gesprek hervat, gesels ons oor gewone dinge.

„Jy probeer my ontwyk," sê Johan.

„Jy is heeldag besig met jou werk."

„Wanneer ek jou soek, is jy weg."

„Ek het net vanoggend gaan stap."

Hilde bring ons koffie en trek haar dan in die kombuis terug asof sy bang is dat haar teenwoordigheid ons sal steur, maar daar is tog niks belangriks wat ons vir mekaar wil sê nie, nie meer nie. Ons sit en uitkyk na die see terwyl ons die koffie drink.

„Mens kan merk dat dit al vroeër donker word," sê Johan. „Kyk hoe lank is die skadu's al."

„Een van die dae sal dit te koel wees om buite te slaap."

„Ons het nie komberse saamgebring nie. Ek weet nie eers hoe die winter in Griekeland is nie."

Ek het Elsa se boek aan Hilde teruggegee en kan niks anders begin nie. Die vooruitsig van ons vertrek het die hele roetine van die dae in die war gestuur. Reeds is dit die laaste dag, só gou is Elsa en my besluit gedoen.

Elsa was heelmiddag besig om haar klere na te sien en knope aan te werk, deeglik en met groot inspanning, en nou het sy ook ingepak:

haar rugsak staan gereed by die deur van die kamer, en sy self wag rusteloos en rook die een sigaret na die ander terwyl sy heen en weer stap. Hilde bekommer haar oor padkos, oor dit en oor dat wat nog gedoen moet word of wat vergeet sou kan word, maar Elsa weer haar sorgsaamheid ongeduldig af. „Moet jou tog nie so kwel nie, Hilde, ek sal regkom, ek kan vir myself sorg . . ."

„Ek weet dit, ek wil net graag iets vir jou doen terwyl ek nog die kans het."

„Jy het genoeg gedoen, daar is niks meer nodig nie."

„Dit is nooit genoeg nie," sê Hilde ingedagte terwyl sy op die terras rondbeweeg om dinge op te vou en reg te sit. „Wie weet wanneer ons mekaar weer sien?"

„Ja, dis so," sê Elsa. „Dit spyt my dat alles só moes gebeur, ek sou dit graag anders wou gehad het. Dit spyt my as jy ongelukkig is."

„Dit is nie so sleg nie," sê Hilde. „Johan werk weer, alles gaan weer goed."

Elsa sit na haar en kyk deur die rook van haar sigaret. „Johan werk weer en jy kan vir hom koffie maak wanneer hy klaar is, dis al wat saak maak, nè?" Hilde glimlag net. Ek onthou die rustige bewegings waarmee sy 'n sprei opvou, en die afsydigheid van haar houding en gebare. Sy het haar heeltemal aan ons onttrek in 'n eie wêreld van droom of herinnering.

Teen sononder gaan ek met die voetpaadjie af na die see, klim oor die rotse, en stap vir die laaste keer 'n lang ent langs die strand, kaalvoet in die water. Môreoggend sal ons weggaan, op dieselfde skip as dié waarmee ons indertyd gekom het, die skip wat hier by die eiland die eindpunt van sy reis bereik en dan weer terugkeer na Piréus.

Die son is onder en die lug verkleur wanneer ek omdraai en al langs die water terugstap huis toe. Dit word al gou donker, en Johan is naby voordat ek hom in die skemer na my toe sien kom langs die strand.

„Ek het kafee toe gegaan," sê hy. „Ek het gedink miskien is jy daar."

„Ek had geen lus om kafee toe te gaan nie."

„Hoekom het jy my nie gesê jy gaan stap nie?"

„Jy was besig gewees. Mens kry jou deesdae skaars meer te sien."

„Dit maak tog nie saak as jy my werk kom onderbreek nie, jy weet dit."

„Dit maak wél saak. Ek sou jou nie wil hinder terwyl jy besig is nie."

„Dit spyt my," sê hy. „Ek begin nou weer opgewonde raak oor my werk, dan vergeet ek van alles. Kunstenaars is ongelukkig maar selfsugtige mense."

„Jy hoef nie verskonings te maak nie, ek verstaan. Ek gaan môre weg, maar jou werk bly; dis die belangrikste."

Hy kyk my aan en ondersoek my gesig voordat hy praat. „Ons was vriende gewees," sê hy ná 'n lang tyd, „en nou gesels ons skielik soos vreemdelinge met mekaar. Ek het gedink ek ken jou, maar dit is tog nie so nie, hierdie koudbloedigheid en gevoelloosheid het ek nie verwag nie."

„Dit is nie gevoelloosheid nie," sê ek. „Dit is nie maklik om te gaan terwyl ek sou wil bly nie, om die werklikheid te aanvaar nie in plaas van die droom."

„Ek ken jou nie," herhaal hy, „tóg nie, ten spyte van die tyd dat ons saam was. Wat dink jy? Wat voel jy? Sê vir my."

„Dis nie belangrik nie; ék is nie belangrik nie. Laat dit soos dit is en moenie nog vrae vra nie."

„En dat ek jou liefhet en dat ek na jou sal verlang, dag na dag, is dít nie belangrik nie?"

„Dit sal oorgaan."

„Jy sê dit maklik."

„Jy sal my gesig vergeet en die klank van my stem, en eendag miskien selfs my naam."

„En hierdie hele tyd verloor asof dit nooit eers bestaan het nie?"

„Nee, mens verloor niks nie. Dit sal verwerk word, alle liefde en verlange, en deel word van jou, selfs wanneer jy die oorsprong daarvan vergeet het."

Ek praat seker te sag, want hy buk sy kop na my toe om my woorde bo die geruis van die see te kan hoor, kaalvoet met sy hande in sy sakke terwyl hy my fronsend aankyk.

„Verwag jy dat ek moet lewe van herinnerings?"

„Van die vrug wat hulle dra," sê ek, en onthou vir Elsa op die berg, en die wye see in die sonskyn, en die heiliges in hiërargiese rye langs die ikonemuur van die kerkie.

„Moenie met spitsvondighede aankom nie!" sê Johan skerp. „Ek prààt met jou, ek wil nie 'n slim gesprek hê nie."

„Ek het nie probeer slim wees nie, ek bedoel wat ek sê, al klink dit dalk spitsvondig wanneer mens dit in woorde omsit. Ek gaan weg en ons sal mekaar moontlik nooit weer sien nie, of miskien eendag êrens op 'n partytjie of onthaal, middeljarige mans in netjiese donker pakke wat mekaar die hand gee en niks meer het om oor te gesels nie, ek weet nie; maar dit maak ook nie saak nie. Dit is die tyd hiér wat saak maak, die tyd wat ons saam was, dat jy geroep het en ek probeer het om te antwoord, die oomblik voordat die woorde weggesterf het, voordat hul naklank weggesterf het en dit weer stil geword het."

„En moet ek in daardie stilte verder lewe?" vra hy.

„Ja."

Hy bly nog fronsend en onbegrypend na my kyk. „En is dit dan ook ál wat jý van hierdie tyd op die eiland sal oorhou?" vra hy.

Ek antwoord nie dadelik nie. „My herinnerings, alles wat ek hier gesien en gehoor het, dit sal ek met my saamneem."

„Totdat jý ook vergeet."

„Dit sal ook van mý deel bly."

„En wat sal jy daarmee doen?" vra hy.

„Ek weet nie," sê ek. „Ons sal sien, daar is nog baie tyd." Sy verwytende, ondersoekende oë is op my gesig. „Ek sal dit oorlewe," sê ek om hom te probeer gerusstel; „jy moet jou nie oor my bekommer nie. Ek ken die kuns van die oorlewing."

„Ek het daardie kuns nooit geleer nie," sê hy.

„Jy sal nog. Jy het genoeg om jou te help; jy het jou werk."

„Dink jy dat dit genoeg is?"

„Meer as genoeg. Ek wens ék had soveel."

„En die eensaamheid en verlange dan?"

„Mens raak gewoond daaraan. Jy bly besig en dit word verwerk, soos ek sê; en later merk jy dit amper nie meer nie."

Hy kyk na my, en dan vertrek sy gesig langsaam; hy knyp sy oë toe en daar loop trane oor sy wange. Blindelings strek hy sy hand na my uit, en ek sit my arms om hom en hou hom vas, druk sy kop teen my aan en voel die rukkerige beweging van sy skouers. Daar is niks wat ek kan sê nie, niks wat ek kan doen nie; daar is geen woord of gebaar waarmee jy 'n ander se smart kan aanraak nie. Ek het daar bly staan en hom vasgehou totdat die ergste heftigheid oorgegaan het, terwyl ek oor sy geboë hoof uitkyk na die see en die draaiende voëls. Daar is eilande wat deur geen mens bereik is nie, wit strande wat deur geen voet betree is nie; daar is fonteine van helder water waarvan niemand ooit gedrink het nie. Daar is gebiede wat op geen kaart vasgelê is nie en kuste waaraan daar nooit 'n naam gegee is nie; geen oor hoor daar die geroep van die voëls of die slag van die branders nie, die afstande ongemeet en die dieptes ongepeil — o ja, daar is eilande.

Die besoekers het al lankal teruggekeer na die vasteland, en dit is plaaslike mense wat die pleintjie voor die hawekantoor vul: reisigers met hul goedkoop koffers en ander bagasie, toeskouers, en mense wat gekom het om ander weg te sien of te begroet. Buite in die baai lê die skip al en wag, glansend wit in die oggendsonlig.

„Jy sal skryf wanneer jy in Amsterdam aankom?" vra Johan.

„Ek sal skryf."

Hy sê niks meer nie. Mans slenter op en neer, kinders hardloop rond, en familielede en vriende neem bewoë afskeid van mekaar. Dan druk Elsa deur die mense om te kom sê dat ons aan boord kan gaan.

Ons begin die verspreide tasse en koffers bymekaarmaak. Daar is niks om te sê nie en selfs die konvensionele woorde van bedanking, afskeid en belofte is al uitgespreek. Dit het ook geen sin om nog te probeer gesels nie noudat die menigte begin voortbeweeg in die rigting van die hawehek en ons met hulle saamvoer. 'n Boerin in swart met 'n streepsak druk Johan uit die pad, en dan word ons weer na mekaar toe gestoot deur jong mans met koffers op hul skouers. Ons gee mekaar 'n hand en wag 'n oomblik, maar ek moet my bagasie opneem en Elsa deur die stuwende menigte probeer volg na die kaai en die bootjie, onhandig tussen al die mense met my koffer, sonder moontlikheid om te bly staan en terug te kyk.

Die bootjie voer ons na die skip: moeders maan kinders om versigtig te wees en gil verontwaardig wanneer die water oor ons opspat. Van die terras het Hilde ons vanoggend nagewuif met Julien op die arm; op die hoogte het ons omgekyk, en die kind het vir ons gewuif terwyl sy hom vashou, asof hy weet dat ons weggaan en hy ons moet groet.

Ons sleep ons bagasie langs gange en trappe na die bodek en stapel dit daar op terwyl die ander passasiers in die saal saamdrom en hulle begin inrig met padkos en drank, reisdekens en draagbare radio's. Oral staan hul besittings opgestapel, koffers, kiste en pluimvee, en dit kos moeite om 'n plek by die reling te vind van waar ons kan terugkyk op die hawe.

Die skeepsfluit blaas al en die skip kies stadig die rigting van die oop see. Die land draai van ons weg, die wit huisies en kerkies langs die berghange, die stad en die hawe. Dan sien ons dat Johan op een of ander manier daarin geslaag het om op die bewaakte kaai te kom, en hy lig albei arms op in afskeidsgroet; terwyl ons verder beweeg, stap hy saam met die skip al langs die kaai en wuif ons so met altwee hande agterna. Eers aan die end van die kaai bly hy staan, en wanneer die eiland agter ons begin wegval, sien ons nog die helderheid van sy geel hemp waar hy ons nawuif.

Elsa staan by die reling en boots sy groet met albei arms na. Miskien kan hy haar nog sien, maar die skip is reeds baie ver op die see, en ek draai om en gaan terug na ons koffers. Die ander passasiers verlaat ook die relings en begin hulle oor die skip versprei, pak dose en mandjies uit, rangskik hul bagasie en roep na kinders, maar feitlik niemand het ons na die bodek gevolg nie: hulle verkies die gesellige gemeenskaplikheid van saal en wandelgange, en dit is net die uitlanders wat die reis hierbo deurbring.

Ek begin vir ons 'n hoekie afkamp in die skadu van 'n reddingsboot, waar ons opgestapelde bagasie ons teen die wind sal beskut, want ten slotte sal ons 'n hele tyd hier moet deurbring. Dit is 'n lang reis van die eiland na Piréus.

9 Junie 1970